中華文化思想叢書

國學概論（第 2 版）

上冊

劉毓慶　著

目次

緒言

1 「國學」概念的意義

「國學」是近些年來學術界最為響亮的一個概念，它的基本意思就是指本國的傳統學術。說起這個概念，它並不是「國產」的，而是江戶時代日本人的發明。當時日本有所謂的國學四大師，主要在於提倡古道，研究本土學術，闡發民族精神。至今日本各地圖書館的圖書目錄分類中，還有「國學」一目。他們所說的「國」，是指日本本國，所說的「國學」是和洋學對立而提出的。在19世紀與20世紀之交，有一批中國留學生到日本學習現代科學技術與文化，便把這個概念引入了中國。中國古代也有「國學」這個名詞，但概念與現在所說的不一樣，是指國家設立的學校。這在周朝就出現了。《周禮·春官·樂師》曰：「樂師掌國學之政，以教國子小舞。」這裏的國學即指國立學校。

我們稱「國學」，外國人則稱「漢學」。以前也有人稱「中學」，所謂「中學為體，西學為用」，這「中學」就是指「中國的學術與文化」。也還有過「國故」、「國粹」之類的叫法。但「國故」、「國粹」有很大的保守性，而「中學」、「漢學」又是一個隱去主體立場、缺乏情感維繫的科學名稱，「國學」則寄寓了中國人的愛國情感，且不排除與時偕行，因此被更多的人所採用。

「漢學」、「中學」所指僅僅代表中國學術，是一種知識形態。而「國學」，它不僅僅是一種知識形態，同時還是一種價值形態，是中

國文化精神的一個載體。宋朝時有一位傑出的思想家張載，他曾發一個宏願：「為天地立心，為生民立命，為往聖繼絕學，為萬世開太平。」這裏所說的「學」，就是指一種文化傳統與文化精神，也就是我們今天所說的「國學」。而這段話所體現出的精神，就是中國文化中最閃亮的精神，也是「國學」精神閃光之所在。生生不息的造化之德，體現了天地巨大的仁善之心；不可抗拒的規律，體現了天地深邃的理性精神。這一切都是由人來體會的。作為一名承傳中國文化傳統的學人，就應該自覺地承擔起「為天地立心」的使命，在領悟天地深意之中，為社會建立一套以道德為核心的價值系統。所謂「為生民立命」，是指為百姓確立正確的人生目標，使之在道德價值觀的規範下，把握命運的方向，確立生命的意義。所謂「為往聖繼絕學」，就是要繼承堯舜周孔以來以道德為核心的文化道統，確保人類的健康發展方向。「為萬世開太平」，就是建立永恆穩定的社會秩序，用今天的話說，就是構建和諧社會，而且是永恆的和諧，這是一個終極目標。

可以說，張載的這種思想，就源自中國文化的薰陶。我們用它來詮釋「國學」的精神，目的是要說明國學同時是一種價值觀念。這一概念的意義，在於它體現了在西方文化的衝擊之下，中國的仁人志士自覺捍衛民族精神家園的強烈意識。這一概念本身就體現著與西方價值觀念的對峙。

需要指出的是，現在有人把中國傳統文化與「國學」混為一談，認為國學就是中國傳統文化，這是不準確的。中國傳統文化是一個內涵廣泛的概念，它包括了宗教信仰、民間習俗、生活方式、社會結構等傳統社會中方方面面的內容，其中自然有優秀的傳統，也有糟粕存在。而「國學」則要把那些不健康的東西通過研究過濾出來，淘汰掉，因此它代表的是優秀傳統文化。民國時期有人一度提「國粹」，似乎想置換國學，也是想更突出地強調民族文化中的優秀傳統。

2 「國學」概念的發生

　　「國學」概念的發生，是以19世紀與20世紀之交的知識分子群體的民族救亡意識為基礎的。從19世紀40年代開始，西方列強開始對中國虎視眈眈。先是英國人的堅船利炮打開中國的大門，強迫清政府簽訂不平等條約；接著是英法聯軍入北京，火燒圓明園，逼迫咸豐皇帝逃出京城；再後是「八國聯軍」入北京，最高統治者再次出逃。此時，中國政府主權喪失，顏面丟盡，自尊全無。伴隨著軍事入侵，西方文化及價值觀也開始登陸。文化的強大衝擊與列強侵略，使中華民族處於生死存亡關頭，一批志士仁人為確立民族存身的依據，在與「西學」的對峙中，引入了「國學」的概念，最具代表性的是章太炎先生。章氏一生與國學結緣，1906年至1909年，在東京創立國學講習會，魯迅、周作人、錢玄同等皆前往聽講。1913年至1916年被袁世凱軟禁期間，又再次辦起了章氏國學會，舉辦國學講演。1922年，應江蘇省教育會的邀請，舉行系列國學演講。晚年在蘇州再次辦起了國學講習會。他在《民報》第七號所載的《國學講習會序》中指出：「夫國學者，國家所以成立之源泉也。吾聞處競爭之世，徒恃國學固不足以立國矣，而吾未聞國學不興而能自立者也。吾聞有國亡而國學不亡者矣，而吾未聞國學先亡而國仍立者也。」顯然，章太炎先生這裏強調的是一種文化傳統存在的重要性：有這種文化傳統，國雖亡而可興；沒有了這個傳統，則一亡而永亡。當時也有一批人主張拋棄傳統，全盤西化。「全盤西化」與「國學立本」兩種觀點表面上是相矛盾的，其實目標都是為了民族救亡。不過，「全盤西化」論者關注的是民族政權的存亡，而「國學立本」論者更看重的是民族文化傳統的存亡。只要一種文化傳統存在，即使民族政權喪失，民族也不會滅亡。這樣的事情在歷史上並不少見，像元滅宋、清滅明都是典型的例

子。宋和明兩個漢族政權雖然為少數民族政權所取代，可是由於文化
傳統的存在，漢族在發展中卻更加強大了。

　　此外，西方及日本的文化入侵，也加劇了國人整理國故的意識。
在列強軍事入侵中，中國大批古籍與文物流向海外，日本人也趁中國
政局混亂、厭棄舊學之際，把中國大批古籍用不同方式運入日本。如
著名的江南皕宋樓藏書就被日本人購走了。同時，東方大陸也成了西
方及日本考古學家與探險家關注的對象。在他們一次次的考古與探險
中，一批批的文物資料被運走。如此，中國固有的學術資源優勢逐漸
喪失，西方及日本的漢學研究取得了令國人意想不到的成就，漢學研
究的中心似乎不在國內而到了海外，這使中國學者感到了壓力，也激
發了中國人以西學新知整理國故的熱情。

3 「國學」的三次大洗禮

　　如果我們把「國學」當做中國傳統文化的代碼，那麼這個代碼所
代表的文化精神，在20世紀最少經受了三次大洗禮。第一次是五四時
期。一批青年在接受西方文化之後，價值觀發生了變化，把中國的落
後歸咎於傳統文化，於是出現了一邊讀中國書，一邊罵中國文化的現
象。我們可以回顧一下五四時代的一批學者，他們中的很多人國學功
底深厚，可是卻激烈地反傳統。有人要魯迅給青年人開閱讀書目，魯
迅回答的一句驚人之語是：中國的書最好不要讀！聞一多也說：封建
的東西（其實是指傳統）是絕對要不得的。中文系的任務就是要知道
它的要不得，才不至於開倒車！這裏有一個簡單的邏輯：他們讀古書
是為了批判。其實他們說的都是氣話，是感受到了傳統中一些帶有毒
素的東西對中國發展帶來的阻力才發此激烈之言的。這代表了當時一
批人的心理。「全盤西化」也是在這時提出來的。在五四大風雨中，

傳統文化接受了前所未有的考驗。

第二次是「文化大革命」時期。如果說五四的反傳統是在知識分子群體中展開的，那麼，「文化大革命」則是在意識形態領域展開的。「革命」的目標是所謂的「四舊」，即舊思想、舊文化、舊風俗、舊習慣。在這場大革命中，兩千多年來被視為「東方聖人」的孔子被打倒了，大批的古籍被封存或焚毀，大批文物古蹟也被毀掉。人們不敢正大光明地讀古書，因為古書是作為封建思想的代表來對待的。到「批孔」時則具體地對準了儒家思想。儒家思想是國學的核心內容，也是千百年來中國社會的主流文化思想，這一批判等於徹底顛覆了歷史。

第三次是改革開放初期。改革開放打開了久已封閉的國門，原來號稱要解放全人類的中國人，這時發現自己要解放的那部分人卻生活在現代化的社會中。巨大的反差引發國人再一次的反思。於是演出了與20世紀初雷同的一幕，知識分子中一股反傳統的力量再次興起。在政府、知識群體與普通民眾共同參與的開放運動中，西方文化又一次潮水般地湧入中國，從婚喪嫁娶到兩性關係，從各種典禮儀式到習俗行為表現，從生活用具到生活方式，都出現了翻天覆地的變化。如果說「文化大革命」反傳統主要集中於意識形態領域的話，改革開放初期對傳統的清洗則是在世俗生活的層面上，其影響力遠遠超過了前兩次。因為物質生活層面上的改變，直接反映了意識、觀念的變化。當時就有人把中國文明稱作「黃色文明」，認為它是一種失去了生命力的文明，應該予以淘汰。

國學在這三次運動中的遭遇，表面上看是三次大厄運，實是三次大洗禮。國學在大批判的風雨中，經受了考驗，兩千多年歷史的長途跋涉所蒙覆的塵埃，被風雨沖洗乾淨，顯露出其本來的風韻。故而到20世紀90年代後，「國學熱」便悄然興起了。

4 「新國學運動」興起的原因

　　20世紀的最後十年，就在詛咒「黃色文明」之聲甚囂塵上的語境中，蘊含著五千年中華文化深厚力量的新的國學研究運動沉穩而持重地開始了。最具國學研究實力的北京大學，首先創辦了《國學研究》這一大型學術刊物，接著《國學論衡》《新國學》《國學叢書》《國學寶典》《國學備覽》《國學》《國學驛館》等刊物、叢書、電子圖書、網站相繼出現。特別是在20世紀的最後兩三年與進入21世紀的最初幾年間，「新國學運動」更顯示出強盛的發展態勢，不僅在以北京大學為首的一些高等院校中成立了國學研究院、國學研究中心、中國文化研究中心等機構，而且在一些城市還出現了學齡前兒童和小學生開設的國學啟蒙館與國學課程班。一些地方，民眾自發地辦起了書院與私塾，肩負起了承傳中華文化的偉大使命。在我們親眼所及的範圍內，沒有任何一場運動像「新國學運動」這樣深沉、穩健、平緩而有力。這場運動的發起，最直接的原因，無疑是無數志士仁人出於對民族文化傳統的深深擔憂與民族自尊的自我維護，是中國人面對西方文化霸權，為捍衛自己的精神家園而發起的運動。同時，我們從中也感受到運動的參與者面對「天下亡」與「人類亡」危機的憂患意識。

　　所謂「天下亡」，用顧炎武的話說，就是「仁義充塞，而至於率獸食人，人將相食」，人都變成了禽獸，道德淪喪到了極點。在西方價值觀的衝擊下，中國傳統的道德觀被淡漠，唯金錢是圖已成為冠冕堂皇的事情，再不需要遮遮掩掩。為了金錢，把撫養自己長大成人的父親訟諸法庭，而竟然得到法律的支持；兒女成行，讓母親露宿街頭，而竟然理直氣壯；大學生投毒、中學生搶劫、小學生弒親……反人道的事件頻見於報端。面對這種情況，作為家長不能不為自己孩子的身心健康擔憂，於是想到了從中國傳統文化中尋找道德資源。儘管

他們並不真正理解國學的含義，但他們知道國學代表著一種價值觀念，代表著中華傳統美德。於是各地便出現了針對學生以《弟子規》《三字經》《論語》等為主要教學內容的「國學館」或「國學班」。民間的國學運動就此興起。

所謂「人類亡」，就是指人類實體的滅亡。以物質利益最大化為目標追求的西方文化，引領人類創造了無數歷史奇蹟，使人類獲得了極大的物質享受。但同時也誘使人類的物質占有欲、征服欲急劇膨脹，將全社會捲入了殘酷競爭的洪流之中。當人類乘坐飛船升向太空的時候，巨大的衝擊力卻使人類賴以生存的地球家園遭到了空前大破壞。能源枯竭，耕地沙化，河流乾涸，戰火連綿，災難頻發，僅20世紀死於戰爭的人數就將近一個億。然而在貪婪的物質利益追求中，人類完全忘掉了危機的存在，很多國家都把美國作為追求目標，但要知道，全世界要都達到美國人的消費水準，需要五個地球的資源！不少科學家對人類能否繼續生存下去感到擔憂。像著名的科學家霍金，就提出了「人類如何才能繼續生存一百年」的難題。

面對這種局面，中國學人再一次注目「國學」。這不僅因為「國學」是民族的，更主要的在於國學中高揚著人類至善至美的人格典範，並以數千年的歷史證實著其創造永久和平的基本素質，確定著人類健康的發展方向。如果說章太炎先生他們那一代哲人是站在民族主義的立場提出「國學」概念的，那麼，當代的一批學人則是在世界文化大視野下發現了「國學」。他們不僅像上一輪的國學宣導者那樣「保持自我」，還要在世界性的人類文化大選擇中，展現中國文化的風采。「科技」讓人類的身體登上了月球，卻將人類精神委之於地。新國學就是要在「科技」無法涉足的廣闊之域，負載起將「人類精神」引向天府的重荷，並拯救人類於現代文明設置的陷阱之中。這是中國傳統士大夫以天下為己任的社會責任感與道德責任感給予的榜

樣，也是數千年文化的深厚積澱給予的自信與自覺。

5 「國學」在文化比較中展現價值

中國文化的終極目標是「萬世太平」，因而這一文化的優越性在於它對和平的追求與維護，保證人類生命的健康與安寧。儘管這一文化可能會遠離現代科技，然而卻能獲得心靈的踏實與平穩。

西方文化重在追求利益的最大化，無休止地發展科技與經濟。因而，這一文化的優勢在於它極大地解除了人類肉體的重荷，使人類的物質生活獲得了空前的改善，但這也給人類帶來了種種危機。早在20世紀初，辜鴻銘在《春秋大義》導言中就說過，「我們要承認：現代的歐洲文化在制服自然方面已取得成效，是其他文化沒有做到的。但是在這個世界上，還有一種比自然物質力量更可怕的力量，即藏在人心中的情慾……這情慾，如果不能得到適當的調理和節制，那就不要說文化，便是人類之生存也將不可能了」。西方文化恰恰追求的就是情慾的滿足，而不是節制情慾。

中國文化從孔子建立經典文化體系開始算起，至19世紀西方文化登陸東方，少說也有兩千多年的歷史。兩千多年間，在中國文化的支配下，東方社會基本上是平穩發展的。儘管這期間也有戰爭，但不至於威脅到人類的生存。而西方文化支配世界只有短短兩百年，卻造成了人類對於繼續生存的擔憂。在這一比較中，中國文化的價值即可得以體現。

按中國文化規定的人類生存路線，人類可以發展到永遠，人類的精神可獲得最大的鬆弛。按照西方文化指引的方向，面對的就是霍金難題：人類如何才能繼續生存一百年。也正是因為如此，在人類面臨空前危機的時刻，世界上一批科學家與人文學者把目光轉向了東方的

智慧。英國著名歷史學家湯因比（1889-1975）博士，曾一度認為中
國文化是一種僵死的走向死亡的文化，可是在晚年的反思中，他卻認
為：「世界統一是避免人類集體自殺之路，在這點上，現在各民族中
具有最充分準備的，是兩千年來培育了獨特思維方法的中華民族。」
他在一次報告中提出：「世界現在最需要的是中國文明的精髓——和
諧。如果中國不能取代西方成為人類的主導，那麼整個人類的前途是
可悲的。」湯因比在與池田大作的談話中還提道：「近代物質文明的
危機，本質在於『道德差距』。就是說，『善性』衰退，人類的倫理、
道德水準低下。要克服這些，提高人類倫理性，巨大的力量是中華民
族所具有的『世界精神』。」瑞士著名心理學家卡爾・榮格（1875-
1961）在《東洋冥想的心理學》中指出：應該轉換西方人已經偏執化
了的心靈，學習整體性領悟世界的東方智慧，應該讓他們放棄一些令
人毛骨悚然的技術，拆穿他們擁有力量的幻象。這些技術和幻象已導
致千百萬人付出生命。1988年在巴黎召開的「面向21世紀」第一屆諾
貝爾獎獲得者國際大會上，著名瑞典科學家漢內斯・阿爾文博士提
出：「人類要在21世紀生存下去，就必須回到2500年前，去汲取孔子
的智慧。」澳大利亞學者李瑞智、黎華倫在《儒學的復興》一書序言
中說：「北亞古老的神話和聖哲，看來更可能替代西方文化成為我們
『地球村』未來的中心。」20世紀後期來自西方的聲音，從另一方面
說明了中國文化的價值和意義。

6 「國學」與他種文化的關係

我們強調國學，並不是要排斥西方文化，而是希望人類在發展科
學技術的同時，更多地考慮一下未來的生存與和平發展問題，考慮一
下人類自身的發展即人性的發展問題、人類道德精神提升的問題。人

類發展有兩個輪子，一個是科技，一個是人文，兩個輪子一起轉動，才能真正走向和平、幸福、快樂與美滿。只有一個輪子轉，則會翻車。西方文化是推動人類科技之輪迅速轉動的強大力量，而中國文化則是促進人類人文之輪高速發展的強大力量。這兩種文化有性質的不同，而沒有先進與落後之別。任何想用一種文化取代其他文化的念頭都是錯誤的。西方文化為人類創造了燦爛的物質文明，將人類的物質生活提高到了人類歷史的高峰，卻把維護人類持久和平以及人類可持續發展的難題留給了中國文化。

中國文化有他種文化缺少的素質，它有包容精神，容得下異己的存在；有和諧精神，能與任何不同質的文化和平共處；有世界精神，考慮的不是一個民族的利益與秩序，而是「日照所及」之地的平安與幸福，以及永久性的和平。世界上存在著多種不同質的文化，人類交通、通信的發展使地球迅速變小。在這種情況下，各種不同質的文化難免要發生碰撞、衝突。西方霸權主義者在強大的軍事力量的支持下，企圖用西方的價值觀統一世界，故而不斷訴諸戰爭，造成了世界的極大動盪與不安。實際上，世界上無論何種民族的文化，都是人類文化的一部分，都是人類的一份精神資源。人類未來的幸福，不在於使人類成為清一色的西方文化的信徒，而在於使多種不同質的文化能夠歡聚一堂。而就目前看來，只有中國文化具有促成世界文化大聯合的素質。中國文化像是水泥，世界各民族的文化像是磚瓦，只有用水泥，才能把磚瓦黏合起來，使新的文明大廈拔地而起，創造人類豐富多彩的未來。作為中國文化的繼承者與傳播者，我們應該肩負起這樣的使命，保護好人類的各種文化資源，為世界不同文化的共生、共存，為人類未來持久的和平、幸福、美滿，做出自己的努力。

7 學習國學的目的

簡單地說，我們今天宣導國學、學習國學，至少有三個目的：一是認識中國傳統文化的價值，二是建設民族精神家園，三是豐富並提升精神境界。

從認識的角度來講，中國文化是世界上唯一在五千年歷史中未曾中斷的文化。為何沒有中斷而且始終影響著歷史，它頑強的生命來自何方，它對當代人類具有何種意義，這都是我們應當瞭解的。當然在五千年的長途跋涉中，中國文化也蒙上了歷史的塵埃，但經過20世紀大批判的洗禮，它呈現出的是凝結著數千年歷史智慧的厚重與沉穩。我們要將歷史的塵埃以及腐朽之物與國學的基本精神區分開來，瞭解國學的基本內容與精神，認識國學的價值，消除因20世紀的文化批判與傳統斷裂導致的一代人對傳統文化的誤解。

從建設精神家園的角度講，經過20世紀的傳統批判與觀念變化，中國人出現了信仰危機。一方面受唯物論思想的影響，無神論觀念在社會上得到普及，大大淡化了中國人的神鬼信仰；另一方面，西方追求利益最大化的價值觀念，為中國大眾所接受，利益追求被合理化，大大淡化了中國人傳統的「貴義賤利」的道德信仰。一方面是「徹底的唯物主義者」，什麼神鬼報應全不管；另一方面是以利益為目標，什麼道德良心全屬次要。不信鬼神報應，不講道德良心，傳統的精神家園在一個世紀的風雨中被破壞了，新的精神家園卻建立不起來，也不知道該往何處建。於是一部分中國人的行為失去了約束，人生失去了方向，精神失去了依託，生活在空虛、焦慮、遊蕩、惴惴不安之中。我們現在重新宣導國學，就是要讓傳統的精神家園得到修復。古代人類有一種普遍的觀念，人死了如不能妥善安葬，就會成為遊魂野鬼。遊魂野鬼是很苦的，也是很可怕的。因為它沒有安居之所，到

處遊蕩，隨時可能闖到人家，給人帶來災難。所以人們要給死者安葬，給他個好歸宿。我們建設精神家園，也是要讓每個人的靈魂得到安居。

從精神境界的角度講，人生是有層次的。人的素質、品位的高低，不是在物質生活的層面上體現，而主要是在精神層面體現。像猴子，儘管其物質生活上由於人的提供，完全可以達到比一般人生活水準還高的享受，但它的精神世界卻是空空蕩蕩的，它永遠無法獲得人的那一份精神愉悅。面對金庸武俠小說的時候，我們可以走進另外一個世界，在那裏獲得樂趣，可是猴子卻不能，它只能看到白紙黑字，甚至不知道那是字。國學中有一個無限廣闊的世界，我們可以從中獲得陶冶，獲得提升，獲得無限樂趣。孔子說：「發憤忘食，樂以忘憂，不知老之將至。」這就是從中獲得的人生境界。

此外，我們還應該看到，在西方價值觀的衝擊下，許多中國人對事物失去了自己的判斷、分析能力。只能跟著、學著外國人說，卻不知道自己該怎麼說。在各種理論著作、文學作品中，都可以看到一連串的外國名字和名詞。在許多中國人的心目中，西方的昨天已成為我們的今天，西方的今天一定就是我們的明天，西方人引領著人類的發展，我們只能跟著西方人走，卻忽略了國學中有五千年文明積累的智慧。我們應該用五千年的智慧，修復中華民族為自己的未來籌劃、構製理想圖景的能力。

中國是一個大國，但不是一個強國。我們要成為強國，不僅要有技術輸出、產品輸出，還要有文化輸出、價值觀輸出。「國學」就是要我們確立東方價值觀，培養我們與西方價值觀對峙的底氣，為文化輸出做好精神準備。

8 「國學」的基本分類

　　「國學」作為中國傳統學術、傳統文化的代碼，儘管是近代才有的事情，而作為中國傳統學術與文化精神的研究，則應該從孔子算起。孔子建立了中國的經典體系與文化學統，從而也開始了中國學術研究的歷史。

　　關於傳統學術的分類，籌劃最早的是孔子，影響最大的是《隋書·經籍志》，最為合理的是章太炎先生。孔子最早辦學，在他的「孔子學院」中，根據學生自己的優長，分了四科，即德行、言語、政事、文學。曾國藩按義理、辭章、考據的學問分類，把德行與政事歸入義理，把言語歸入辭章，把文學歸入考據。看來，「德行」科應該是關於道德理論的，是與意識形態相聯繫的，如同今天大學裏的「政治系」。「言語」科，相當於「語言系」，「政事」科相當於「行政管理系」，「文學」科相當於「文獻系」。孔子的這個分類並不是嚴格意義上的學科分類，而是從教育的結果所體現的特點說的。因此，並不完全適合於傳統學術。長期以來，學術界通用的是經、史、子、集的四部分類。這個分類是從《隋書·經籍志》開始的，如清朝皇家主持編纂的《四庫全書》，就是按這四部來分類的。「經」中包括了四書五經，即傳統儒家經典。「史」包括正史與各類歷史性記述，像方志地理也都歸入這一類。「子」包括諸子百家，像三教九流都歸到這一類。「集」包括各種詩文集子。這個分類基本上能把中國傳統學術全部包容進來，而且易於理解。但它把「小學」即關於文字、音韻的部分歸入經學，這在現代人看來，就不好理解，也不太合理了。因此章太炎先生講國學，在傳統學術分類的基礎上，專列「小學」。這樣就分成了五類，即小學、經學、史學、諸子、文學。

　　從研究中國文化的角度來講，這五類蘊含五個方面的意義：小

學，是開啟中國文化之門的管鑰；經學，是中國人的道德精神與理想追求；史學，是中國人的價值判斷與道德堅持；諸子，我們也可以稱作「子學」，是中國人的思想與生存智慧；文學，是中國人的人生情懷與詠歎。這五個方面構成了國學的全部。

從晚清到現在，學術界對於國學概念一直存在爭議。近些年也有人為此作過專門的考證、辨析。但與其在概念上糾纏，不如直接面對事物本身。而事物本身是運動、發展的，因此國學也應該是一個動態的概念，應當不斷吸收和接納其他民族文化中的優質成分，強化自己，豐富國學之府，也應當將歷史的塵埃以及腐朽之物清掃出國學之門。

9 「國學」的觀念與路徑

20世紀西方文化輸入中國後，中國學術徹底改變了傳統經、史、子、集的分類，而採取了所謂「科學」的方法，強調學術的專科化。故而在一個世紀的不斷調整中，學科劃分越來越細，研究越來越精深，確實大大促進了學術的發展。但在這種分科中，可以看到一個明顯的趨向：專業化其實是技術化。在專業化的進程中，人的基本素質與精神的提升被忽略。進入21世紀，學術徹底變成了一種職業性的活動，完全改變了提升精神、完善人格的意義指向，而目標則在學術成果的創造上。學術成果的質量與數量，成為考核學者的雙重指標，因而出現了一些學問高深、道德滑坡的現代型學者。這種導向，不但有違於健康、快樂、幸福的生活原則，對於人類未來的健康發展也是沒有意義的。

在以專業性、技術性為目的的學科規則下，傳統的國學便自然地被廢置，而變成了現代學術研究各取所需的一堆素材。比如，大學中

多分中文、歷史、哲學等系，中文系主要面對的是語言文學，原有的「集部」與「小學」可歸於其研究範疇；歷史系對應的是「史部」；哲學系對應的是「子部」，但諸子的思想極為豐富，並不全是講哲學的，這樣自然有一部分要作為邊角料而被剔除。最重要的是「經部」，它失去了獨立存在的地位，被文、史、哲三家瓜分了，但它之所以成為「經」，是因為它是中國傳統文化的核心，確定著中國人的道德精神與價值觀念，直接影響著數千年來中國人的行為。一旦被瓜分，就意味著傳統精神流失，傳統文化趨於消亡。

通過近一個世紀的反思，人們再次關注國學時，卻不得不面對因現代學科分類而帶來的問題。這裏出現了兩種情況。一是學者們給自己定了位，基本上都劃地為界，互不相犯。對於國學，不但認為自己搞不了，認為別人也搞不了。二是有些單位成立國學研究院或國學研究中心，只是在形式上把文、史、哲三支力量拼湊在一起，實際上還是各搞各的那一套。這兩種情況都是當代國學研究的障礙。

故而，在這裏有必要提出國學的觀念與學習路徑來。國學的觀念是要文、史、哲不分，即打破現代學科的壁壘，以小學為基礎，由小學入經學，由經學通文史，然後出入於諸子，這樣才能建立起扎實的學術基礎。20世紀前半葉產生了一批大師級的人物，章太炎、王國維、梁啟超、陳寅恪等皆為世所仰，他們無一不具有扎實的國學功底。但20世紀的後半葉，很難找出能夠與前期抗衡的重量級學者來。因為國學中那種培育大家的渾元之氣，已在學科劃分中被消解。

因此可以說，國學既是一個知識系統，也是一個價值系統，同時還是一種學習方法與治學門徑。

思考題

1. 什麼是國學？它的基本含義是什麼？
2. 國學的概念是在怎樣的背景下提出的？
3. 國學熱再次興起的原因何在？
4. 國學的內容包括哪些方面？
5. 國學有哪些基本素質？
6. 學習國學的目的是什麼？
7. 國學與西學相比，有哪些優長？
8. 在當代世界文化的衝突與交融中，國學的地位與角色是怎樣的？

參考書目

章太炎：《章太炎國學講演錄》，北京，中華書局，2013。

錢穆：《國學概論》，北京，商務印書館，1997。

龔鵬程：《國學入門》，北京，北京大學出版社，2007。

第一編
小學

　　根據現代學科分類，小學屬於「語言文字學」。因古代小學先教六書，故稱「小學」。據古文獻記載，古代小孩是八歲上學的。《大戴禮記‧保傅》篇云：「古者年八歲而出就外舍，學小藝焉，履小節焉。束髮而就大學，學大藝焉，履大節焉。」所謂「小藝」，就是識字、算數、待人接物的禮節以及灑水掃地之類的勞動技能。朱熹《大學章句序》釋云：「人生八歲，則自王公以下，至於庶人之子弟，皆入小學，而教之以灑掃、應對、進退之節，禮、樂、射、御、書、數之文。」其中最重要的一項學習任務是識字。因為入學主要是讀書，而讀書必先識字。《漢書‧藝文志》云：「古者八歲入小學，故《周官》保氏掌養國子，教之六書，謂象形、象事、象意、象聲、轉注、假借，造字之本也。」因此《藝文志》裏把十種「文字學」書歸在了「小學」類中。

　　這在我們今天看來確實令人困惑，這些東西那樣艱深，連學者都不一定能搞懂，古代的小學生怎麼能讀懂呢？其實這是因為古今語言變化造成的隔閡。就拿《尚書》來說，這不過是古代的一些政治報告、告示、會議記錄之類的東西，它只能是當時的大白話，是希望每一個人都能聽懂、能看懂的。可是在今天讀來，卻是那樣艱澀。正是由於古今語言的變化，才出現了訓詁學、音韻學。

　　古代把「小學」類放到了「經部」，是因為這是讀經書的一個基礎。要想通經，必先通小學。由小學入經學，這是一條傳統的治學之

路。同時，「小學」作為一門學問，也是由研究經典文字開始的。我
們在這裏講「小學」，目的也是為了閱讀包括經典在內的古書。「小
學」是一條通向古典的路徑，是打開中國古代文化之門的管鑰。要想
讀隋唐以前的書，沒有「小學」基礎是不行的。因此在中國所有的學
問中，這是最基礎的一門學問。只有它，才能幫助我們走進中國文化
的殿堂。章太炎先生當年講國學，最重視的就是「小學」。他在給鍾
正懋的信中就明確地說：「僕國學以《說文》《爾雅》為根極。」在
《國故論衡‧小學略說》中，也稱「小學」是「國故之本，王教之
端，上以推校先典，下以宜民便俗」。

　　「小學」主要包括文字、音韻、訓詁三部分，而最主要的是文字
學。中國文字有三個要素，即形、音、義。因為特殊的方塊形體，產
生了《說文解字》系列的研究著作，以及「古文字學」這門學問。因
為讀音有古今的變化，因而出現了後來的「音韻學」一科；因為古今
字義的變化，因而有了「訓詁學」一門。即如宋代學者王應麟《玉
海》卷四十五所說：

> 文字之學凡有三，其一體制，謂點畫有衡縱曲直之殊（《說
> 文》之類）；其二訓詁，謂稱謂有古今雅俗之異（《爾雅》《方
> 言》之類）；其三音韻，謂呼吸有清濁高下之不同（沈約《四
> 聲譜》及西域反切之學）。

　　音韻學因在發展中成了一門非常專業的學問，雖也有助於訓詁，
而主要指向不在古籍的閱讀與理解，因此暫且擱置。以下主要就文字
與訓詁兩個方面作些介紹。

第一章

文字學

　　什麼叫「文字」？「文」指的是象形字，因為是「錯畫」而成，故謂之文。《說文解字》（以下簡稱《說文》）：「文，錯畫也。」「字」指的是合體字。「字」有生的意思。《說文解字》：「字，乳也。」《廣雅‧釋詁》：「字，生也。」因是由「文」滋生出來的，所以叫「字」。即如許慎《說文解字敘》所說：「蓋依類象形，故謂之文；其後形聲相益，即謂之字。文者，物象之本也。字者，言孳乳而浸多也。」混言之則曰「文字」。正因如此，許慎才把他的大作命名《說文解字》。所謂「文字學」，就是關於文字的學問。文字學的研究有兩個主要對象：一是研究文字的原意，讓人們知道文字形義的「所以然」，瞭解其背後蘊含的學問；二是研究古今字形的變化，即文字由甲骨文到金文、簡帛文字、篆書、隸書、草書、楷書以及繁體、俗體、簡體等的變化。

第一節　漢字與中國文化

　　漢字是當今世界上為數不多而影響最大的方塊文字。這種文字的特殊性，不僅僅在於它的結構，更在於它的文化意義。概言之有四。

　　第一，漢字形義中蘊藏著一個世界。每一個字中都藏著故事，藏著學問，藏著歷史。所以，梁啟超曾說，若用新眼光去研究，作成一部「新說文解字」，是可以當做一部民族思想變遷史，或社會心理進化史來讀的。

　　如果我們從文字學的角度去看漢字系統，就會看到上古生活的方方面面。如「乘」字，《說文》寫作𣎵，云：「覆也，從入桀。」乘本義是「覆蓋」，上面的「入」是用來遮蓋的，下面是個「桀」字，「從舛在木上」，「舛」是人的兩腿，人兩腿在樹上，上面又有覆蓋，這顯然就是巢居的寫實。當然就字形來解，許慎說得並不正確，因為在古文字中，乘寫作𡘊、𡘊，像人登樹巔之狀，但反映巢居這一點則是對的。甲骨文中「乘」字有一種寫法，下面的「木」被砍去了樹梢，樹被砍去梢，這是為了構巢的方便。（張舜徽《廣文字蒙求》）又如「穴」字，《說文》云：「穴，土室也。」在古文字中，「穴」像人工挖出的土窯洞形。穴系列的字，如窨、邃、窈、窕、窋、窆等，則反映了穴居洞處的情況。現在我們稱女子長得好看為「窈窕」，稱結婚為入洞房，這都是穴居時代留下的烙印。貝系列的字，如財、貧、貪、貢、貨、賑、費、贈、賞、貸、賒、賄、賂之類都從貝。《說文》云：「貝，海介蟲也。古者貨貝而寶龜，周而有泉，至秦廢貝行錢。」這反映的是古代的貨幣交易情況。如「市」字，《說文》云：「韠也，上古衣蔽前而已，市以象之。天子朱市，諸侯赤市⋯⋯從巾，象連帶之形。」朱駿聲《說文通訓定聲》云：「祭服曰市。上古衣獸皮，先知蔽前，繼知蔽後，市象前蔽以存古。」所謂「上古衣蔽前而已」，是指人身首先被遮蔽的部分。我們後來之所以把男女生殖器稱作「男陰」、「女陰」，就是因為最早被遮蔽的緣故。市和蔽古音相近，「市」也含有「蔽」的意思。與前蔽陰部相對，後面則是尾飾。《說文》云：「尾，微也。從倒毛在屍後。古人或飾繫尾，西南夷皆然。」從青海出土的新石器

舞蹈紋彩陶盆。青海大通縣上孫家寨出土，現藏於中國國家博物館。

時代的陶盆紋中，即可看到舞蹈者尾飾的圖像。這反映的是上古服飾方面的情況。如「棄」字，《說文》云：「捐也，從廾，推𠦒棄之，從𠫓。𠫓，逆子也。」像是雙手拿著一個長柄箕之類的工具將孩子丟棄，反映的是上古的棄子習俗。傳說周人的先祖后稷生下來就曾幾次被丟棄。如「凶」字，《說文》云：「惡也。象地穿交陷其中也。」「凶」字所從的凵，代表的就是陷阱。古代因猛獸甚多，人們想出了用陷阱的方式制伏野獸，常挖陷阱，上蓋草木枝葉及泥土等物做掩蓋，這就是「凶」所從的「㐅」。但生人不知，往往會陷入其中，所以叫「凶」。甲骨文中的「拯」字，就像人用雙手從陷阱中救人之形。它反映的是古人與猛獸鬥爭的情況。如「州」字，《說文》云：「水中可居曰州，周繞其旁，從重川。昔堯遭洪水，民居水中高土，故曰九州。詩曰：在河之州。」在洪水氾濫時，人就高地而居，周邊是水。所謂九州，就是當時人所居住的水中高地，這反映的是人類早期的生存環境。後來行政區域劃分中有一級叫州，現在還有霍州、徐州之類的名稱。像《說文》所云：「洪，洚水也。」「滔，水漫漫大貌。」「沆，莽沆，大水也。」「汻，水廣也。」「溥，大也。」反映的是大水災的陰影。不難看出，上古歷史的許多秘密，都深藏於文字形義之中。漢字形義本身就是一部凝固的中國上古史。

反過來講，懂得文字學，可以幫助我們從歷史的縱深處認識現存的事物。比如「取」字，在現代漢語中是獲得、取得的意思，可是為什麼要寫作從耳從又呢？《說文》云：「取，捕取也。從又從耳。《周禮》：『獲者取左耳。』《司馬法》曰：『載獻聝。』聝者，耳也。」在古文字中，取字像用手執耳之狀。根據《說文》的解釋，我們得知，在上古時代，人們狩獵或作戰時，要把捕獲的野獸或戰俘

「取」字字形圖

的左耳割下來，以割取耳朵的多少來計功。所以《周禮・夏官・大司馬》鄭玄注：「得禽獸者取左耳，當以計功。」《左傳・僖公二十二年》云：「且今之勍者，皆吾敵也，雖及胡耇，獲則取之，何有於二毛？」如果用今天的字義來理解，「獲」就是「取」，為什麼還說「獲則取之」呢？這裏的「取」就是割取左耳的意思。從這個字中我們可以看到關於古代戰爭的習俗。農村中，大人有時用割耳朵嚇唬孩子，顯然就是這一習俗在語言上的殘存。因為耳朵被割意味著被捕，是一件令人感到恥辱的事情，所以「恥」字從耳。從前體罰學生，也常採取揪耳朵的辦法，其源即在於割耳朵的習俗。漢字中有個「聑」字，這就是「妥帖」之「帖」的本字，《說文》云：「安也。」為什麼能解釋成「安」呢？因為戰爭結束，兩隻耳朵還好端端地長在頭上，得以全身而歸，表示安然無恙，沒有被羞辱。這個意思也是由割左耳的戰爭習俗衍生來的。

　　「取」由捕獲的意思，引申出獲得、收取的意思。我們再從「取」字入手，來看「娶」字。《說文》云：「娶，取婦也，從女從取，取亦聲。」從許慎的解釋中也可以看出，「娶婦」原先是寫作「取婦」的。後來因婦是女性，才加「女」字寫作「娶」。但為什麼字從「取」呢？由以上「取」與「捕獲」的關係，不難發現「取婦」與古代搶婚習俗的關係，即用暴力來取得婦女。在《周易》爻辭中屢見「匪寇，昏媾」之文，意思是說：以為遇到了盜寇，結果不是，原來是為婚媾而來的。結婚的「婚」字，為什麼從「昏」，而且原來要寫作「昏」？就是因為搶婚往往在黃昏視線模糊、認不清對方面孔時進行，後來則演變為黃昏時行婚禮。《說文》云：「婚，婦家也。禮，取婦以昏時。婦人陰也，故曰婚。從女昏，昏亦聲。」「取婦以昏時」，這是古俗；所謂「婦人陰也，故曰婚」，這是漢時人昧於何以昏時行禮的原因而作出的「想當然」的解釋。《白虎通・嫁娶》篇云：

「婚姻者何謂也？婚者，昏時行禮，故曰婚。」妻子的「妻」，小篆寫作𡜍，像一隻手抓住女子頭髮的樣子。金文中上面的「屮」像古「齊」字的上邊部分，所以林義光《文源》云：「從又持女，齊省，齊亦聲。」「從又持女」，所反映的也是搶婚習俗。梁啟超在《中國文化史・社會組織編》中談到搶婚制時曾說：「今俗亦尚有存其餘習者，如婿親迎及門，婦家閉門，婦家兒童常嘩逐媒妁之類皆是。」

我們這裏僅由一個「取」字就帶出在現代生活中仍有殘存、在文字形義中仍有所反映的上古習俗。如果我們能從文字學的角度思考問題，就會從更多的、極為平常的漢字形義中發現當代與遠古的種種聯繫。比如「京」字，我們現在稱首都為京，這是為什麼呢？從古文字中看，京像是一個高大的建築物。京起初當是建於高丘上的，所以《說文》云：「京，人所為絕高丘也。」周人從公劉時代開始，每到一處，都要建造「京」這樣的標誌性建築，故而留下了周京、豐京、鎬京之類地名。漢代繼承了這個名稱，又有了東京、西京之說。早期，這樣的建築本來是只有王都才有的，但後來逐漸演變，普及到了各個城市。像古代城中的鼓樓，其實就是「京」。因為「京」是高大的建築物，所以引申出高、大、盛等意思。

鼓樓

甲骨文

金文

又如，我們看到很多靈堂所設立的寫有死者名字的牌位，均呈上尖下方形，還有墓碑以及廟裏的石碑，都是這種形狀，這是什麼原因

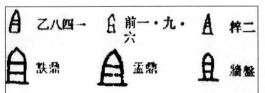

「且」字字形圖

呢？如果懂古文字，一眼即可發現，這其實就是「且」形的翻版。甲骨文中，「祖」字沒有示字邊，只書為「且」：上呈尖狀或半圓狀，酷似男性生殖器的模型。《說文》云：「祖，始廟也。」這是說，祖是奉祀祖先的宗廟。因為與祭祀有關，所以後來加了「示」旁。而祖廟中象徵祖先的「且」，就是巨大的男根模型，這顯然是生殖崇拜的反映。《穀梁傳・文公二年》說：「無祖，則無天也。」范甯注：「祖，人之始也。」人的生命是從那裏來的，無祖則無己，因而尊祖祭祖便成為人生的大事。後世的靈位牌、墓碑等，皆是由此演化而來的。

再比如，我們把第三者稱作「它」，這也是很難理解的。但結合古文字看，這便可了然。張舜徽先生在《廣文字蒙求》中說：「蛇古字當作它，其形為𤴐。《說文》：『象冤曲垂尾形。上古草居患它，故相問：無它乎？』以前農村中有一種很流行的禁忌，便是對於平日最為可怕的東西，如虎如鬼習慣於用『那個東西』來代替它的名號，而不敢直呼其名，這恐怕是遠古傳下的遺俗。推想我們的祖先為毒蛇所苦的時候，熟人見面便問：『近來沒有那個東西為害了嗎？』於是輾轉引申，『它』字便成為第三者的稱呼，作彼字用了。」

從一個字便可看到一段消失的歷史，看到一種不復存在的生活，這恐怕只有漢字能做到。人們常說中國文化博大精深，從這裏我們也不難體味到這一點。

第二，漢字所記載的傳統文化典籍，其豐富性、久遠性超過了世界上任何一種文字。僅一部《四庫全書》，就多達36300冊，6752函，全書共230萬頁，連接在一起，足夠繞地球赤道一圈有餘。《續修四庫

全書》比《四庫全書》量還大，雙頁縮印精裝本竟多達1800冊。其餘
《四庫存目叢書》《叢書集成》《四部備要》《四部叢刊》等大型叢
書，以及叢書之外的大量單刻古籍，數不勝數。漢字為人類保存了一
大批極為珍貴的精神產品。

　　第三，漢字強化了民族的凝聚力，成就了中華民族的偉大。中國
幅員遼闊，人口眾多，南北異音，東西殊俗。在普通話不普及的古
代，各地皆用方言，南方人說話北方人聽不懂，西部人說話東部人不
知所云。《尹文子》中就記有這樣一個故事：「鄭人謂玉未理者為璞，
周人謂鼠未臘者為璞。周人懷璞謂鄭賈曰：『欲買璞乎？』鄭賈曰：
『欲之。』出其璞視之，乃鼠也。因謝不取。」鄭約在今鄭州一帶，
周約在洛陽一帶，兩地相去並不算太遠，但語言上仍會出現如此大的
差異，何況南北極邊之地呢？但不管方言多麼分歧，只要一寫出漢字
來，大家都能讀懂。因此這種功能是拼音文字無論如何都不能替代
的。中國歷史上曾出現過多次分裂。每次分裂都會出現「言語異聲，
文字異形」的現象，如果不是通過漢字「書同文」而進行文化整合，
我們很難想像如今的中華民族會有如此之大。

　　第四，漢字所創造的豐富多彩的藝術以及博大的文化思想，也是
世界上任何文字都無法比擬的。由於漢字的單音和獨立應運，形成了
中國文學的多種詩體，如四言、五言、七言、格律、詞、曲等，還出
現了迴文詩、迴環詩、藏頭詩等多種奇異的文學藝術。我們可舉蔣一
葵《詠春》為例：

　　　鶯啼岸柳弄春晴曉月明

　　這看起來是殘缺的詩，其實是一首測試智力的迴文詩，迴環讀之
就會發現它是一首七言絕句。正讀是：

鶯啼岸柳弄春晴，柳弄春晴曉月明。

明月曉晴春弄柳，晴春弄柳岸啼鶯。

神智體

再如，由於漢字的方塊象形、獨立應運的特點，還形成了漢賦、神智體、圖形詩、寶塔詩等藝術。我們可舉蘇東坡的神智體為例（見左圖）：

看到這橫七豎八的字，很難想像到這原來是一首詩。這首詩正讀則為：

長亭短景無人畫，老大橫拖瘦竹笻。

回首斷雲斜日暮，曲江倒蘸側山峰。

據南宋桑世昌編《迴文類聚》卷三，這首詩的名字叫《晚眺》，是蘇軾寫給一位遼國使臣的。「神宗熙寧間北虜使至，每以能詩自矜，以詰翰林諸儒。上命東坡館伴之，虜使乃以詩詰東坡，東坡曰：『賦詩易事也，觀詩難事耳。』遂作《晚眺》詩以示之，虜使惶愧，莫知所之，自後不復言詩矣。」

由於漢字的象形特徵，產生了獨特的書法藝術、篆刻藝術，形成了正、草、隸、篆等多種書體，出現了王羲之、歐陽詢等眾多書法大家。書法特有的變化無方的藝術造型，成為其內在精神的最佳展示。蔡邕《筆論》云：「為書之體，須入其形，若坐若行，若飛若動，若往若來，若臥若起，若愁若喜，若蟲食木葉，若利劍長戈，若強弓硬矢，若水火，若雲霧，若日月。縱橫有可象者，方得謂之書矣。」孫過庭《書譜》又云：「觀夫懸針垂露之異，奔雷墜石之奇，鴻飛獸駭之資，鸞舞蛇驚之態，絕岸頹峰之勢，臨危據槁之形。或重若崩雲，

或輕如蟬翼；導之則泉注，頓之則山安；纖纖乎似初月之出天崖，落落乎猶眾星之列河漢。」顯然，在書法家的筆下出現的並不是單純的橫、豎、撇、捺的線條，而是飛動的生命姿態，因為作者已將自己的全部精神傾入其中。書法家的性情、人格以及人生境界，都在這裏得到了體現。故先人有言曰：「書如其人。」蘇東坡《書唐氏六家書後》云：「世之小人，書字雖工，而其神終有睢盱側媚之態。」所謂「睢盱側媚」，就是我們今天所說的「媚俗」。媚俗實際上就是「世之小人」的人格說明。

從某種意義上講，漢字不僅僅是中國文化的表述符號，也是中國文化的參與者，它的創造功能滲透到了中國文化的方方面面。如在廣告行業中，由於漢字的一字多義與多字一音的特點，廣告藝術家們製作出了眾多風趣、幽默又發人深省、引人注目的廣告詞。如沙發的廣告詞：「坐享其成」；服裝的廣告詞：「望眼欲穿」；空調的廣告詞：「我的名氣是吹出來的」；等等。

像字謎遊戲，對於漢字的功能也可說是全方位的展示。《西廂記》寫張生與崔鶯鶯相戀，橫插崔夫人的姪子鄭恒要踐履婚約。鄭恒誇自己如何優於張君瑞，此時紅娘唱道：

〔調笑令〕你值一分，他值百分，螢火焉能比月輪？高低遠近都休論，我拆白道字辨與你個清渾。君瑞是個「肖」字這壁著個「立人」，你是個「木寸」、「馬戶」、「屍巾」。

「拆白道字」是字謎的一種形式，這裏紅娘罵鄭恒是「村驢屌（屌）」，可她沒有明說，卻將這意思藏在了字謎中。有些字謎中深藏的學問，確讓人有中國文化深不可測之感。如清代筆記中記載的一條字謎，謎面是「無邊落木蕭蕭下」，謎底是一個「日」字。從謎面到

謎底，處處藏著學問。南朝宋、齊、梁、陳，齊和梁都姓蕭，這樣「蕭蕭下」便是「陳」了。「陳」去掉「阝」旁，即所謂「無邊」，則為「東」字。「東」去「木」，即所謂「落木」，則成了「日」字。如果沒有歷史知識，是絕對猜不出謎底的。若沒有漢字做基礎，這樣高深的謎語也絕對不會產生。

再如對聯藝術，也非常能體現漢字象形獨立的優勢。傳說乾隆皇帝喬裝改扮，與大臣張玉書在酒樓飲酒。席間，他趁著酒興指著一姓倪的歌姬出上聯說：「妙人兒倪氏少女。」「妙」字分解開，就是少女二字；「人兒」合起來正好是「倪」字。未等張玉書想出來，歌姬隨口答道：「大言者諸葛一人。」「大」字分解開是「一人」二字，「言者」合起來則是「諸」字。像如此精妙的對聯，如此幽默的藝術，從其他民族的文字中則不易找到。

不知老

古为今用

家居汾水之阳

风物长宜放眼量

姚奠中

奠中书画之章

此外，如酒令、歇後語、繞口令、拆字算命、道士畫符、裝飾藝術等，也無不體現著漢字的特殊本質與創造功能。可以說，中國不能沒有漢字，沒有漢字就沒有中國文化，不懂漢字的玄妙，就不能理解中國文化，也就根本不可能走進中國文化的殿堂！

第二節　六書

今存最早的一部文字學著作是《說文解字》，全書14篇，分540個部首，這代表了先民對事物的基本分類。單字9353個，重文1163個。書中推究六書之義、造字之本，言簡意賅，最為得要。其存字形，上接金文、甲骨文，下啟漢隸，是中國文字學史上一部不可替代的權威性著作。古文字學之門，就是由它打開的。漢字內部有其自身的規律，前人用「六書」來總結。《說文解字敘》云：

《說文解字》書影

　　《周禮》：八歲入小學，保氏教國子，先以六書：一曰指事。指事者，視而可識，察而可見，上下是也。二曰象形。象形者，畫成其物，隨體詰詘，日月是也。三曰形聲。形聲者，以事為名，取譬相成，江河是也。四曰會意。會意者，比類合誼，以見指撝，武信是也。五曰轉注。轉注者，建類一首，同意相受，考老是也。六曰假借。假借者，本無其字，依聲托事，令長是也。

這裏所提到的「六書」，就是所謂的「建字之本」。其實這是古代

學者研究文字時歸納出的條例，並不是造字法。以下就六書分別作
介紹。

1 指事

　　所謂「指事」，就是用象徵性的符號來表事，有可能是最早產生
的一類文字。如用一畫表示「一」，用二畫表示「二」，用三畫表示
「三」，用四畫（〓）表示「四」等。手是五指，為一個單位，於是
便不再加畫，而用「×」表示。以一橫代表準線，於「一」上加一分
隔號或一短橫，就是表示上的意思，若短橫或分隔號加在下面，則表
示「下」。

　　但有相當多的指事字是產生在象形字的基礎上的，是在象形符號
上加標識以表示所指之事的。如先有「木」表示樹木，要表示樹根，
則於木的根部加一橫或一點，這就成了「本」字。故《說文》云：
「木下曰本。」要表示樹梢，則於木的梢部加一橫，這就成了「末」
字，故《說文》云：「木上曰末。」在「木」的中間重點一筆，則成
了「朱」（朱），也就是樹株的「株」，指樹幹部分。《說文》云：「朱，
赤心木，松柏屬。從木，一在其中。」認為指的是樹心，樹心是赤色
的，所以朱指顏色，看來這個解釋是有問題的。郭沫若《金文叢考》
云：「『朱』乃『株』之初文。與『本』『末』同義……金文於『木』
中作圓點以示其處，乃指事字之一佳例。其一橫者乃圓點之演變。」
再如，「刀」像刀形，在刀刃的部位加上一點即成「刃」字；「大」
（大）像人形，在人的兩腋的部位加點，便成為「亦」字，即「腋」
的本字。

　　不過指事字並不只是用加標識的方式來表示其意的，還有相當多
是以強調、誇張某些事物的部位來指事的。如「天」（天）字，是在
「大」字上部突出了碩大的人頭。《說文》云：「天，顛也。至高無

上，從一、大。」顛就是頭頂。加大人頭，就是要表示所特指的部分。頭是人體最上部，故說是「至高無上」。如果人的腦袋歪在左邊，便成了「𣥂」（矢）字，《說文》云：「矢，傾頭也。」腦袋歪在右邊，便成了「𡗨」（夭）字。《說文》云：「夭，屈也。」人把兩條腿相交在一起，突出相交的部分，這就成了「𡗝」（交）字。《說文》云：「交，交脛也。從大，象交形。」側面人形膝蓋下地，突出膝蓋部分，則成「𠂆」（卩）字，楊樹達《積微居小學述林・釋卩》云：「卩乃卻之初文……卩者，脛頭節也。引申為節止、節制之義。」正面人形一腿彎曲，則成為「𡗜」（尢）字，《說文》云：「尢，曲脛也。象偏曲之形。」側面人形加大腦袋部分，這就成了「元」字，《說文》云：「元，始也。」在人頭的部分突出眼睛，這就成了「𧢲」（見）字，《說文》：「見，視也。」

這裏需要說明的是，「指事」與「會意」、「象形」，常出現難以辨別的情況，所以《說文解字》中就把不少指事字釋為象形，王筠《說文釋例》《說文句讀》又一律歸於會意。簡單地說，指事與象形之別在於象形是描繪具體的形象，指事則帶有抽象性，往往是通過強調、標識的方式表示事物；與會意之別是，會意字用幾個意符合成一個意思，而指事字往往分為單個的符號就失去了意義。不過有些時候是不必強分它們的，只要知道意義也就行了。因為先人造字時，並沒有指事、象形等概念。

2 象形

象形字指純用點畫描摹物體的字。《說文解字敘》中談到造字時說：「仰則觀象於天，俯則觀法於地，視鳥獸之文與地之宜，近取諸身，遠取諸物……」這其實就是說，文字是人以自己為中心觀察天地萬物的結果，是取天地萬物之象而造出的，而天地萬象是宇宙存在的

根據，這也就確立了象形文字在漢字中的主導地位，故人們有時用「象形字」代稱漢字。前人所謂象形兼會意、象形兼形聲等劃分，都有點過於複雜化。我們的原則是，只要它的基礎主體是象形的，就可以歸於象形系列中，不必再作細分。

今觀象形字，確實涉及天地萬象。如表現人體的：人，像側立的人形；大，像正立的人形；首，像人頭帶髮形；耳，像人的耳朵；目，像人的眼睛；自，像人的鼻子；口，像人口形；手，像人的手有五指；又，像人右手欲抓物形；爪，像人手下覆欲捉物形；心，像人的心臟；呂，像人的脊樑骨；足，像人的小腿帶腳掌形；止，像人的腳趾；包，像人懷妊形；子，像初生小兒形等。

天文方面：日，像圓日形，中有一點，表示實體；月，像缺月形，因月多處於半圓狀態；晶，像夜空眾多小星形；雲，像天上回捲的雲氣；氣，像地上升起的雲氣；雨，像天上降雨之狀；電，像閃電之狀等。

地理方面：山，像山峰突起之狀；丘，像丘陵毗連之狀；泉，像水源出水之狀；水，像水流之狀；回，像回轉的旋流；田，像阡陌分明的田地等。

鳥獸草木方面：鳥，像鳥有喙、頭、翼、足形；燕，像燕子形；馬，像馬有尾及四足形；犬，像狗捲尾形；象，像大象形；虎，像大口獸形；鹿，像長角獸形；牛，像頭角回抱的牛頭；羊，像角向外拐的羊頭；萬，像長尾高舉的蠍子；龜，像大殼爬行的龜；魚，像頭尾皆足的魚；木，像長起的樹；草，像地面的小草；禾，像穗下垂的穀子；來，像有芒刺的麥子；果，像樹上結滿果子等。

生活用具方面：絲，像束絲之形；衣，像向右抱裹的古衣形；裘，像毛皮衣形；皿，像飲食之器形；豆，高足豆形；鬲，像炊具；畐，像盛酒器；車，像有輪子的車子；冊，像編起的竹簡；戶，像單

扇門；門，像雙開的戶；舟，像小船；弓，像彎弓；戈，像斜開刃的
兵器；帚，像笤帚；其，像簸箕等。

這是古人以人為核心，通過人的仰觀俯察，而構織出的一個世
界。更確切地說，是先民心靈中的世界。這一個個象形字，就像一幅
幅的寫意畫，不求形真，但求神似。用最簡單的點線，勾勒出了最生
動的神情形態。這與中國傳統的寫意畫之運筆、思維，應該都是一脈
相承的。

3 形聲

形聲字是由形與聲兩部分組成的文字，是在象形字的基礎上產生
的，在漢字中所佔比重最大。形、聲兩部分的組合沒有定準，或左形
右聲，如江、河；或上形下聲，如窈、窕；或外形內聲，如團、圓
等。但聲符在右者居多，所以有學者稱作「右文」。無論聲符居於何
位，有一點則是相同的：表形的部分，都是與事物的類別相關的，大
多屬於部首字。如手部字：捉、握、接、招、掌等，「手」表示它們
都與手有關，而足、屋、妾、召、尚等則表示讀音。

不過，我們要特別注意的是，形聲字表示聲符的部分，往往是有
意義的。宋王子韶提出「右文說」，就是關於形聲字研究的。《夢溪筆
談》卷十四云：

> 王聖美治字學，演其義以為右文。古之字書皆從左文，凡字，
> 其類在左，其義在右。如水類，其左皆從水。所謂右文者，如
> 「戔」，小也。水之小者曰「淺」，金之小者曰「錢」，貝之小
> 者曰「賤」，如此之類，皆以「戔」為義也。

這是說聲符是有義的。清代學者段玉裁也曾提出「聲與義同源」

說，現在看來這是非常有道理的。往往聲符相同的字，會形成一個意義相似的族群，如：

「包」本義是像未成形的胎兒在娘胎中的形狀，《說文》：「包，象人裹妊，巳在中，象子未成形也。」於此引申而有了包裹、鼓起的意思。加艸則為「苞」，指花未開放包裹著的花片。加衣則為「袍」，是古代包裹在人體外的長衣服。加手則為「抱」，指用手臂抱物於懷，如包裹之狀。加水旁則為「泡」，指水中鼓氣的水泡。加食旁則為「飽」，吃足了食，肚子鼓起，故叫「飽」。加肉則為「胞」，指包裹胎兒的胎衣。

「盧」有黑的意思。漢揚雄《太玄・守》「盧首」，范望注：「盧，黑也。」清張文虎《舒藝室隨筆》卷三：「齊謂黑為盧。案瀘，黑水；櫨，黑橘；獹，黑犬。」加鳥為鸕，鸕鷀似鴉而小，色黑。加馬為「驢」，驢似馬而小，黑色。加土為「壚」，指黑色堅硬而質粗不黏的土壤。

「喬」有高的意思。加木為「橋」，指高架於水上的橋樑。加馬為「驕」，馬高六尺為驕（「驕傲」即自高自大為驕，瞧不起別人為傲）。加人則為「僑」，踩高蹺的人為僑人。加車為「轎」，指人高扛於肩的車輿。

「句」有彎曲的意思，加竹為「笱」，是竹製的呈曲形的捕魚器。加金為「鉤」，用金屬製成的掛物鉤。加广為「痀」，指曲背之病。加車為「軥」，指車軛兩邊下伸反曲夾貼馬頸的部分。

焦循《易餘籥錄》卷四中有一段關於「襄」聲字的論述：

> 有以「瓤」為名者，皆以他物實之於此物中，如要肉入海參中則名「瓤海參」。凡瓤雞、瓤鴨、瓤藕，無非以物實其中。或笑曰：「瓤」當與「瓤」通。謂以物入其中，如瓜之有瓤也。

說者固以為戲言，而不知古聲音假借之義正如此也。瓜之內何以稱「瓤」？瓤，從襄者也。「瓤」從襄猶「釀」，《說文》：「釀，醞也。」「醞」與「縕」通。《穀梁傳》「地縕於晉」，謂地入於晉也。《論語》「衣敝縕袍」，謂絮入於袍也。「醞」為包裹於內之義，而「釀」同之，此所以名瓤名釀也。《說文》：「纕，作型中腸也。」《釋名》云：「中央曰纕」，皆以在中者為義。囊，裹物者也，從襄省聲，即亦與讓同聲。然則讓取包裹縕入之義明矣。夫讓，猶容也，容即包也。爭則分，讓則合矣。故四馬駕車兩服在兩驂之中，而《詩》曰「上襄」，水圍於陵而《書》曰「懷山襄陵」，俱包裹之義也。不爭則退遜，退遜則卻，故讓有卻義。能讓則附合者眾，故「穰」之訓眾，「瀼」之訓盛，眾則盛矣。

由此可以看出，形聲字中蘊藏大學問。故而這也成了一種重要的訓詁方法。我們可以順著這條路徑，發現漢字音義中許多鮮為人知的秘密。例如，農村中常將已婚的年輕婦女稱作「媳婦」。《紅樓夢》第十九回寫寶玉遇見茗煙與萬兒私通，在寶玉的追問下，茗煙說了實話，於是寶玉說：「等我明兒說了給你作媳婦，好不好？」世俗又有兒媳、孫媳、弟媳之稱，這是為什麼呢？如果從「聲與義同源」的理論看，「息」有生的意思。《漢書‧卜式傳》言卜式牧羊，「歲餘，羊肥息」。師古注：「息，生也，言羊既肥又生多也。」加火為「熄」，《說文》：「熄，畜火也。」畜火即火種，是生火用的，故段玉裁注云：「熄，取滋息之意。」加女為「媳」，則是指娶來讓生孩子的女人。從這裏也反映出，繁衍後代是媳婦最主要的任務。

不過形聲兼義的問題，也要具體分析，不可一概而論，否則就是望文生義。明朝有本署名陶宗儀所作的《國風尊經》，書中「解『君

子好逑』云：逑從求從辵，謂行而求之也；解『參差荇菜』云：荇從
草從行，謂草生水中而東西行者也；言以菜加於食物之上，如毛之附
麗於外。」（《四庫全書總目·經部·國風尊經》）這就鬧出了笑話。

4 會意

會意字是由兩個以上意符構成的字，所以《說文》說「比類合
誼，以見指撝」。每個字拆開，可以單獨成文。與形聲字不同，它的
意義主要是從形態上獲得的。如武、信二字。「武」是由「止」與
「戈」兩部分構成，「止」表示行走，「戈」是武器，其原義應該是征
伐示威，故古以「武」指兵事。人言為「信」，雞犬之鳴便無信可
言，這也反映了古人對於信作為五常之一的認識。根據所會意符的不
同，也有了表示自然與人類行為的種種區別。如表示自然的：

（明），從日從月，日月是天地間最大的發光體，故合而表示
光明。

（旦），「一」表示地平線，太陽從地平線上升起，表示天亮。

杲，日升高至樹頂，表示大亮。

杳，太陽下落到了樹下，表示冥暗。

（莫），太陽下落進入草叢，表示天快黑了。

（昔），從水從日，表示發生大洪水的過去，故有從前的意思。

（昃），從日從斜著的人形，表示太陽已傾斜。

但更多的會意字是與人類行為有關的。如：

（即），像一個人跪坐在簋前就食的樣子，所以「即」有就、近
的意思。

（既），與「即」字正相反，像一個人吃完了飯掉轉頭準備離去
的樣子（口向外），所以有盡、完的意思。

（鄉），像兩個人相對而坐共就一簋的樣子。本義是鄉人共

食，故用來指共同飲食的氏族聚落──鄉。「鄉」與「饗」本為一字。

　　（步），左右兩腳一前一後，表示行走，故《說文》云：「步，行也。」

　　（陟），阝表示丘阜，步是兩個腳趾，兩隻腳由下而上行走，所以《說文》云：「陟，登也。」

　　（降），與陟正相反，降是兩隻腳從山阜上向下走，故《說文》云：「降，下也。」

　　（此），左邊是一腳趾，右邊是一個反人，表示其人所止之處，故「此」為近處之稱。

　　（名），上面是夕，下面是口。夕時天色昏暗，辨不清人，所以要問名，要請人自報姓名。故《說文》云：「名，自命也。從口從夕。夕者，冥也。冥不相見，故以口自名。」

　　（孟），下面像浴盆，浴盆中有「子」，取洗浴嬰兒之意。嬰兒落地，第一件事就是洗浴，故而孟有初始的意思。又引申有長的意思。

　　會意字與象形字一樣，儘管我們不一定知道它的讀音，但根據其形，往往可以辨識出其意義。比如「祭」字，下面是「示」，示往往與神事有關，上邊是一手持肉之狀，合起來則表示以肉事神。利用意符的合成來判斷字的本義，是近代以來古文字學最常用的一種方法。又如「年」字，《說文》寫作，云：「穀熟也。從禾，千聲。」在甲骨文中寫作，上面是禾，下面是人。容庚《金文編》因此云：「年，從禾從人，人亦聲。《說文》非。」表示穀物成熟，人獲禾歸。故古代把五穀豐收叫做「有年」。年節在古代帶有慶祝豐收的意思。再如魯國的「魯」字，《說文》：「魯，鈍詞也，從白魯聲。」于省吾《甲骨文字釋林》則據甲骨文作「」說：「從魚從口，口為器形，本象魚在器皿之中。」又說：魯訓為嘉，美善之義。

5 轉注

　　關於轉注的認識，古代爭議較多。隨著文字學研究的發展，轉注研究的一些新成果，可使問題簡單化。轉注是指讀音相近的字之間的意義聯繫。《說文》所謂「建類一首，同意相受」，「建類」就是同訓的字群，「一首」就是同一語源，「同意相受」就是相互間的意義聯繫。如「考」和「老」，其本義都是年高的意思，同屬一個韻部。這種情況的出現與方言有關。同一個字，在各地方言中就可能出現幾種不同的讀音。儘管語音有變化，但往往屬於層轉疊生的關係，是由一個讀音變化而來的，因此要麼聲母相同或相近，要麼韻母相同或相近。章太炎先生說：

> 古來語音不齊，因地而變，此方稱老，彼方稱考，此方造老，彼方造考，故有考老二文。造字之初，本各地同時並舉，太史採集異文，各地兼收，欲通四方之語，故立轉注一項。是可知轉注一項，與方言有關[1]。

　　這對轉注的解釋是非常精闢的。但語音變化，以聲母為紐而轉者居多，所以有人認為《說文》所說的「建類一首」的「一首」，就指的是聲母。這也不是沒有道理的。

　　不過在《說文》中轉注字並不同，它是本義相同的兩個字間的互訓，如「蕇，蓄也」「蓄，蕇也」「蓩，苗也」「苗，蓩也」之類，它本身的意義並不太大，但引起我們注意的，是由語音變化而滋生的詞族，這雖然大大超越了轉注的範圍，但對我們認識漢字卻很有說明。我們可以舉三組典型的例子：

1　章太炎：《國學講演錄·小學略說》，12-13頁，上海，華東師範大學出版社，1995。

「秉」族。「秉」字從禾從又，是會意字，取手持禾意。由此一音變化，受意於此音的字，便都有了把握一類的意思。如斧柄之「柄」，字或寫作「棅」。刀把子的「把」，其意是「握也」。音變為「扮」，《說文》：「扮，握也。」音變為「杓」（biāo），《說文》：「枓柄也。」音變為「枹」，《說文》：「擊鼓柄也。」音變為「蕾」（fú），《說文》：「刀握也。」音變為「柲」（bi），《說文》：「欑也。」徐鍇《繫傳》曰：「欑即矛戟柄。」

「大」族。「大」字像人手足張開形，取意為大。音變為「太」，《說文解字注・水部》：「太，後世凡言大而以為形容未盡則作太。」《廣雅・釋詁》：「太，大也」；字或作「泰」，《廣韻》：「泰，大也」，孔穎達《尚書・泰誓》疏：「泰者，大之極也。」音變為「岱」，《說文》：「岱，太山也，從山代聲。」《風俗通義・山澤》曰：「岱者，長也」，長也是大義。音變為「誕」，《說文》：「誕，詞誕也」，指大話，《爾雅》及《毛傳》皆言：「誕，大也。」音變為「唐」，《說文》：「唐，大言也。」《莊子・天下》釋文：「荒唐，謂廣大無域畔者也。」音變為「蕩」，《左傳・襄公二十九年》：「美哉，蕩乎！」孔穎達疏：「蕩，寬大之意。」

「女」族。在古文字中，「女」字像屈膝安坐的女性。因為女性柔弱，因此「女」就有了柔弱的意思。《詩經・曹風・候人》毛傳：「女，民之弱者。」《豳風・七月》毛傳：「女桑，荑桑也。」孔穎達疏：「女是人之弱者，故知女桑，柔桑，言柔弱之桑。」由「近取諸身」而向外衍生，音變而為「柔」，《說文》：「柔，木曲直也。」因性柔軟，故可曲可直。轉而為「弱」，《說文》：「弱，橈也，上象橈曲，彡象毛犛橈弱也。」段玉裁注：「曲者多弱。」音變為「壤」，《說文》：「壤，柔土也。」音變為「輭」，即軟，《玉篇》：「輭，柔也。軟，俗文。」音變為「如」，《說文》：「如，從隨也。」從隨與柔順之

意相通，故《釋名》：「女，如也。」音變為「若」，《爾雅・釋言》：
「若，順也。」古文字若像人踞足舉手順理髮形。音變為「懦」，《左
傳・僖公二年》杜預注：「懦，弱也。」音變為「嫩」，《廣韻》：
「嫩，弱也。」音變為「泥」，《廣韻》：「泥，水和土也。」土和水性
則軟。音變為「肉」，指動物體的軟組織。

　　這三組字每一組都是雙聲，雖然有些字非其本義，但因讀音的
關係，而接受了另外一重意義，因「同意相受」，它們形成了不同的
詞族。

6　假借

　　假借與轉注一樣，都不是造字法，而是解釋文字既定意義的一種
方法。《說文》云「本無其字，依聲相託」，就是指原本沒有這個字，
但為了表示這個意思，只好借同音字來表達。比如，「令」，本義是號
令；長，古文字中像長髮老者形（《說文》曰：「久遠也」）。由長幼之
長，引申為長官之長；由發號令者謂之令，引申為令尹、縣令之令。
但原初造字並沒造出長官之長、縣令之令來，所以說「本無其字」。

　　根據《說文》所舉的情況，這裏所說的「假借字」與我們今天所
說的「假借字」，意思並不完全相同。「六書」中的「假借字」，並不
單純是從讀音上考慮的，而是指「引申義」。比如《說文》中所舉：

　　朋，古文鳳，象形。鳳飛，群鳥從以萬數，故以為朋黨字。

　　來，周所受瑞麥來麰，一來二縫，象芒束之形。天所來也，故為
行來之來。

　　能，熊屬，足似鹿。從肉，㠯聲。能獸堅中，故稱賢能，而強壯
稱能傑也。

　　𡆀（西），鳥在巢上，象形。日在𡆀方而鳥棲，故因以為東𡆀之𡆀
（西）。

　　在實際應用中，所用的都是這些字的引申義。我們後來的假借字，則完全跳出了引申義的拘囿，純為「依聲相託」了。如「萬」本是蠍子的古名，而借為千萬之「萬」。「難」本是鳥名，而借作艱難之「難」。「求」，本是皮衣，即「裘」的本字，而借作了請求之「求」，久借不還，只好另造「裘」字。

　　總之，「六書」是對漢字內部規律的歸納。象形、形聲、會意、指事，這四者與造字之法有關。轉注、假借，則是兩種對文字既定意義的解釋方法。因此「六書」也可以說是古人對漢字意義的六種歸類。

　　需要補充說明的是，漢字貫穿著「以人為本」的精神。《說文》云：「大，天大、地大、人亦大，故大象人形。」為什麼說「人亦大」呢？在古人的觀念中，人是與天地並列的三才之一。從形體上說，天大、地大，但在精神上，人則代表了天地。故《禮記・禮運》篇曰：「人者，天地之心也。」這便確立了人在世界中的位置，同時也形成了漢字以人為核心的世界模式。大莫過於天地，而在漢字中，「天」和「地」都是以人為本建造出來的。「天」字是一個正面站立的人——「大」上面加一筆「一」。《說文》云：「天，顛也。至高無上，從一大。」「地」字是由「土」與表示女陰的「也」字構成的，《說文》云：「也，女陰也，象形。」土地生長萬物，它是偉大母性的體現，故而用女陰表示。古代的國家祭祀有兩大中心，一是祖廟，二是社稷。《尚書・甘誓》曾言：「用命賞於祖，弗用命戮於社。」而「祖」與「社」也是從人的意義衍生出來的。「祖」甲骨文作「且」，是一個巨大的男性陽具的形象；「社」甲骨文作「土」，是一個巨大的女性乳房的形象。這樣，古代最大的事物——天、地、祖、社，便都成了人的化身。此外，「耳」、「目」、「口」、「自」（鼻）亦皆取諸人體，儘管各種動物的耳目口鼻都不相同，但絕不一一去繪摹其形，各造其字，而是統統由表示人「耳」、「目」、「口」、「自」的字來代替。

《說文》言造字的原則是「近取諸身，遠取諸物」，「取諸身」是以人為根本，「取諸物」則是人眼中的世界萬物，它所體現出的是以人為核心的價值觀。此與西方文化中所強調的「人文主義」似乎有很大的差別。「人本」關注的是人自身，是個性心靈對世界的領悟與體驗。而「人文」則很容易外化為對人創造力的關注，並走向對創造物的關注。近代西方對物質文明的追求，即說明了這一點。東方的中國，儘管出現了西化的熱潮，但意識形態領域卻仍關注著人精神的提升。

思考題

1. 為什麼古人把文字、音韻、訓詁之學稱為「小學」？
2. 什麼是文字學？
3. 漢字有哪些基本要素？
4. 漢字對於中國文化的創造有何意義？
5. 漢字對於中國民族的形成有何意義？
6. 《說文解字》是一部什麼書？為什麼叫「說文解字」？
7. 請舉出四部清人研究《說文解字》的代表性著作。
8. 「六書」的具體內容是什麼？
9. 簡述漢字的人本精神。

參考書目

〔漢〕許慎：《說文解字》，北京，中國書店，1989。

〔清〕段玉裁：《說文解字注》，上海，上海古籍出版社，1981。

丁福保：《說文解字詁林》，北京，中華書局，1988。

唐蘭：《殷墟文字記》，北京，中華書局，1981。

于省吾：《甲骨文字釋林》，北京，中華書局，1979。

于省吾：《甲骨文字詁林》，北京，中華書局，1996。

郭沫若：《兩周金文辭大系圖錄考釋》，上海，上海書店，1999。

周法高：《金文詁林》，香港，香港中文大學出版社，1974。

章太炎：《章氏叢書・文始》，揚州，江蘇廣陵古籍刻印社，1981。

張舜徽：《廣文字蒙求》，北京，中華書局，1972。

王延林：《常用古文字字典》，上海，上海書畫出版社，1997。

康殷：《文字源流淺說》，北京，國際文化出版公司，1992。

第二章

訓詁學

　　「訓詁學」是研究語言文字意義的一門學問。文字學關注的是字形，訓詁學關注的是詞義。訓者，順也，指順其義理、語氣而理解其文意；詁者，故也，指通古今之言而明其故。用孔穎達的話說：「詁者，古也，古今異言，通之使人知也；訓者，道也，道物之貌以告人也。」(《毛詩正義》)簡單地說，訓詁就是疏通文義，用語言來解釋語言。地有南北，時有古今，東西南北語言不通，須求助於翻譯；古今語言不通，則要求助於訓詁。即如清儒陳澧《東塾讀書記・小學》所云：「有翻譯則能使別國如鄉鄰，有訓詁則能使古今如旦暮。」最早的一部訓詁學著作是形成於戰國末的《爾雅》。這部書重在詮釋《詩》《書》詞彙。根據詞彙分類，構建起了以人為中心的世界結構秩序：《釋詁》《釋言》《釋訓》，解釋已內化為人的基本能力的一部分的語言詞彙；《釋親》《釋宮》《釋器》《釋樂》，解釋因人而構成的人際關係與人所創造的日用器具；《釋天》《釋地》《釋丘》《釋山》《釋水》，解釋人類活動的空間舞臺；《釋草》《釋木》《釋蟲》《釋魚》《釋鳥》《釋獸》《釋畜》，解釋人類物質生活需求的資料來源。這四部分秩序

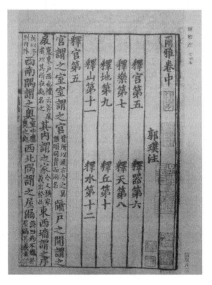

《爾雅》書影

井然的結構形式，既反映了先秦儒家以人為本的哲學思想，同時也構
成了最早的訓詁學的基本內容，奠定了中國訓詁學的基礎。現在訓詁
學已發展為一門獨立學科，走向了漢語語義學方向。我們這裏所講的
主要是傳統意義上的訓詁學，是就文獻的閱讀與詮釋而講的，當然也
涉及漢語語義的一些問題。

第一節　訓詁學的意義

訓詁學是一門具有綜合性、實踐性和技術性特點的學問。它要應
用文字學與音韻學以及關於古典的相關知識，來解決文獻的閱讀、詮
釋問題。現代人閱讀古代文獻，多是借助前人的研究成果，如各種注
本、譯本以及各種讀書札記之類，來理解文本，忽略了自己訓詁基礎
的培養。雖然說業有專攻，訓詁研究已成為語言學家的專業，但要知
道，作為理論研究固然可以由語言學家專任，而作為閱讀古代文獻的
基本知識與技能，則應該是每一個閱讀者都把握的。否則，只能是人
云亦云，很難有新的看法，甚至可能犯一些不應該出現的錯誤。

其一，明訓詁在於它能夠令我們正確地理解古籍的意義。在今人
的閱讀理解與語彙引用中，我們時常會發現因不明訓詁而導致的錯
誤。比如「不可救藥」，這是一個成語，現在人多理解為「不可用藥
救治」。《漢語大詞典》也說：「病重到沒有藥可以醫治，比喻事態已
嚴重到無法挽救。」這個解釋看來也是有根據的。《詩經‧大雅‧
板》篇：「多將熇熇，不可救藥。」孔穎達疏：「多行慘酷毒害之惡，
熇熇然使惡加於民，不可救止而藥治之。」但是，這種語法形式，我
們在古漢語中很難找到，顯然是望文生訓。其實這個「藥」字就是
「療」的假借字。《說文》云：「藥，治病草。從艸樂聲。」古亦作
「瘵」。《說文》云：「瘵，治也。從疒，樂聲。療，或從尞。」可以

看出「藥」和「療」，原本都是從「樂」得聲的，讀音相通，可以通假。《說文繫傳》引《詩》正作「不可救藥」。這在《左傳》中也有證明，《左傳‧襄公二十六年》言：「今楚多淫刑，其大夫逃於四方，而為之謀主，以害楚國，不可救藥。」杜預注：「療，治也。」「不可救療」就是不可救治。

　　不過像以上的情況，雖說理解不夠準確，卻還不算太離譜。但有些就可能與原義大相逕庭了。如「學而優則仕」，現在多理解為「學習好的人就可以做官」，並把此與「讀書做官論」等觀。但《論語‧子張》的原話是：「仕而優則學，學而優則仕。」如果說「學而優則仕」是「學習優異即可做官」的話，那麼「仕而優則學」該作何解釋呢？顯然是有問題的。像這類問題，只要略通訓詁即可解決。《說文》：「優，饒也。」《玉篇》：「饒，餘也。」故馬融解釋為「行有餘力」。「仕」古與士、事通，猶今言工作、任職。這意思是說工作有餘力則可以學習，學習有餘力則可以工作。故邢昺解釋：「言人之仕官行己職，而優閒有餘力，則以學先王之遺文也；若學而德業優長者，則當仕進以行君臣之義也。」又如「七月流火」，「火」本是天上的星宿名，「流」是向下沉的意思。據記載，周時大火星六月黃昏出現在正南方，七月則開始西沉，故云「七月流火」。這是天氣開始變涼的標誌，可是現在報紙上卻多用「七月流火」來表示天氣大熱，把「火」理解成了火熱。錯誤因相沿已久，也就被人認可了，但追其源，皆由於不明訓詁所造成。如現在人寫信，往往在最後書「某某匆匆」，其實這「匆匆」原本當做「勿勿」。《說文》云：「勿，州里所建旗，象其柄有三遊，雜帛，幅半異，所以趣民，故遽稱勿勿。」這說明漢代時，人們稱急忙曰「勿勿」。《顏氏家訓‧勉學》曰：「世中書翰，多稱勿勿。相承如此，不知所由。或有妄言：此忽忽之殘缺耳。」說明南北朝時，還稱「勿勿」，只是變成了書面語，口語中已

經消失。也正是因口語中的消失，導致了書寫錯誤而「勿勿」最終變成了「匆匆」。現在人每稱邊疆為「疆場」，如「血灑疆場」、「暴屍疆場」等，其實這「疆場」是「疆埸」之誤。「埸」和「疆」是一個意思，都是指邊界。《詩・小雅・信南山》：「中田有廬，疆埸有瓜。」《毛傳》：「埸，畔也。」《左傳・桓公十七年》：「疆埸之事，慎守其一，而備其不虞。」孔穎達疏：「疆埸，謂界畔也。」《三國志・吳志・士燮傳》：「處大亂之中，保全一郡，二十餘年疆埸無事。」後來引申出邊疆戰場之意。如宋王安石《王凱贈節度使制》：「將帥之臣，出乘疆埸，而有執敵捍患之材。」章炳麟《政聞社員大會破壞狀》：「或謂民知愛國，則自以儌命疆埸為美談。」如果寫成「場」，意思就不通了，因場本指園圃或曬穀物之所。《史記・老子韓非列傳》載韓非「為人口吃」；《三國志・魏志・鄧艾傳》載鄧艾「口吃」。現在人們也稱結巴為「口吃」，但今吃飯之「吃」與此口吃之「吃」是完全不同的兩個字。《說文》：「吃，言蹇難也。」《玉篇》：「吃，語難也。」汪重闓《訓子二十紙》云：「吃，口吃，音吉；喫，食也，音乞……勿以吃作喫。」也就是說「口吃」的「吃」應該讀作「吉」。《廣韻》《集韻》中「吃」都作「居乙切，音訖」。可是後人因嫌「喫」字太難寫，於是就用「吃」代替「喫」，結果把「口吃」也讀成了「口chi」。至於「吃」的本意更不知所云了。洪邁《容齋五筆》卷八「承慣用經語誤」條曰：「經傳中事實多有轉相祖述而用，初不考其訓故者。如《邶・谷風》之詩為淫新昏棄舊室而作，其辭曰：『宴爾新昏，以我御窮。』宴，安也，言安愛爾之新昏，但以我御窮苦之時，至於富貴，則棄我。今人乃以初娶為宴爾，非惟於詩意不合，且又再娶事豈堪用也？」杭世駿《訂訛類編》卷一「青雲」條曰：「《史記・伯夷列傳》：非附青雲之士，惡能施於後世哉。青雲，言人品之高遠，故以之比孔子。今作登科及高位用，誤矣。」此即批

評不明訓詁而誤用典之病。由此看來，明訓詁不僅可以正確地理解語言文字的意義，而且可以維護漢語的純潔。

其二，進一步說，明訓詁可以自覺地發現古籍詮釋中的問題，並提出新的見解。如被稱為周族史詩的《詩經‧大明》篇，寫到武王伐商時有一段描寫：「殷商之旅，其會如林。矢於牧野，維予侯興。上帝臨女，無貳爾心。」此處「殷商之旅」，今人多認為指殷商的軍隊，認為此段是說：殷商軍隊盛多，軍旗如林；武王則誓師於牧野，說：我大周將要興起，上帝監視著你們，你們不要有二心。可是這樣的話，前後語氣、文理也很不通順，既然前面說的是殷商的軍隊，怎麼誓師的卻是武王呢？顯然是有問題。如果我們考慮到「殷」、「敦」可以通假的關係，問題就迎刃而解了。《戰國策‧齊策》說蘇秦「家敦而富」，《史記‧蘇秦傳》「敦」則作「殷」，是二字音近相通之證。敦有討伐之意，金文習見。如《寡子卣》：「以敦不弔（淑）」，《宗周鐘》：「王敦伐其至」，《常武》：「鋪敦淮濆」等皆是。《魯頌‧閟宮》第二章幾乎全襲《大明》此章之義，而其正作「敦商之旅」。此句是指伐商之師，下言其眾，言其誓師，則一脈相貫，文理暢達。如果不明訓詁，這樣的問題將永遠得不到解決。

清代學者在這方面撰寫過一批優秀的著作，他們的很多見解都可稱得上是石破天驚。你可以不同意他們的觀點，但不能不承認他們的啟發性。如《尚書‧康誥》：「若保赤子，惟民其康乂。」「赤子」一詞古書中也常用，《孔傳》只釋為「孩兒」，未解「赤」字何義。孔穎達疏：「子生赤色，故言赤子。」但《天香樓偶得》則說：

> 「尺」字古通用「赤」，「尺牘」古作「赤牘」。《文獻通考》
> 「深赤者十寸之赤也」，是知「赤子」者謂始生小兒僅長一尺
> 也。古人多以尺寸論長幼，如三尺之童、五尺之童。俗諺有云

六尺之軀，亦曰七尺之軀。古謂成人曰丈夫。《禮記·曲禮》問天子之年，對曰：聞之始服衣若干尺矣。天子至尊，不敢斥言身長幾尺，故但言衣長幾尺也。

《金石錄·漢西岳石闕銘》：「張勳為西嶽華山作石闕，高二丈二赤。」《北齊馮翊王平等寺碑》：「永平中造定光銅像一區，高二丈八赤。」看來《天香樓偶得》一書中所說確值得思考。又「學而時習之」，這是大家非常熟悉的古言，幾乎我們看到的《論語》注本，都把這個「學」字，解作學習的「學」，然後辨析「學」和「習」的區別。而于鬯《香草校書》卷五十二則說：

古「學」、「教」二字不別。小戴《學記》引《兌命》曰「學學半」，即「教學半」，此盡人所知者。就彼篇中「學」字當讀為「教」字尚多。說見彼「君子如欲」條校。又《文王世子》記凡學世子、學干、學戈、學舞干戚，陸德明《釋文》亦訓「學」為「教」。孔穎達《正義》亦云：「學謂教也。」又《儀禮·燕禮》鄭康成注「亦學國子以舞」，陸釋亦云：「學，教也。」然則此「學」亦當為「教」。惟言教，故曰「而時習之」，「而」字方有意。蓋習即學也，若即言學，則不必以而字作轉語也。且下文云「有朋自遠方來」，亦正言教，故從學者廣。有遠方朋來，若止學而已，則未言及近，何遽言遠？層次不太懸乎？下章載曾子曰「傳不習乎」，「傳」亦教也。「習」即此「習」字。何晏《集解》云：「言凡所傳之事，得無素不講習而傳之。」案何義是矣，而一「素」字可商。蓋既傳人，自宜其素習，豈有素不習而可以傳者？曾子之意正恐以教人者自以為素習而不復習，故曰「傳不習乎」。明乎「傳不習」之

說，即可知「教而時習」之說。「傳不習乎」與「教而時習之」，語有反正，義則一也。《為政》篇子張學干祿，彼「學」字似亦當讀「教」。

一個字的破讀，即讓文義大變，開闢了一條意義闡釋的新途。像這樣的例子很多，我們不妨就以大家最熟悉的《論語》中的幾則為例。「禮之用和為貴」，現在多讀為「禮之用，和為貴」，解釋為「禮的作用，以和諧為可貴」。俞樾《群經平議》卷三十則說：

> 古「以」、「用」二字通用。《周易·井·九三》「可用汲」，《史記·屈原傳》引作「可以汲」；《尚書·呂刑》篇「報虐以威」，《論衡·譴告》篇作「報虐用威」；《詩經·板》篇曰「勿以為笑」，《荀子·大略》篇引作「勿用為笑」，並其證也。「禮之用和為貴」，與《禮記·儒行》篇曰「禮之以和為貴」文義正同，此「用」字止作「以」字解。當以六字為句，近解多以體用為言，失之矣。

「糞土之牆，不可杇也」，一般理解為糞土似的牆壁，周悅讓《倦遊庵槧記·經隱·論語》則說：

> 按：《博物志》：「地以名山為輔佐，石為之骨，川為之脈，草木為之毛，土為之肉，三尺以上為糞，三尺以下為地。」則糞土乃掘未及三尺之土，今俗所謂熟土也。為耘糞種雜糅所及，故曰糞土。

「四體不勤，五穀不分」，現在人多解釋為「四肢不勞動，五穀

不認識」，而俞樾《群經平議》卷三十一則說：

> 分當讀為糞，聲近而誤也。《禮記・王制》篇「百畝之分」，鄭
> 注曰：「分或為糞。」《孟子・萬章》篇作「百畝之糞」，是其
> 證也。兩「不」字並語詞。「不勤」，勤也；「不分」，分也。
> 《爾雅・釋丘》曰：「夷上灑下不漘。」郭注曰：「不，發
> 聲。」《釋魚》曰：「龜左倪不類，右倪不若。」邢疏：「不，
> 發聲也。」古人多以「不」為發聲之詞。《詩・車攻》篇：「徒
> 御不驚，大庖不盈。」《毛傳》曰：「不驚，驚也；不盈，盈
> 也。」《桑扈》篇：「不戢不難，受福不那。」《傳》曰：「不
> 戢，戢也；不難，難也。那，多也。不多，多也。」此類不可
> 勝數。丈人蓋自言唯四體是勤五穀是糞而已，焉知爾所謂夫
> 子。若謂以「不勤」、「不分」責子路，則不情矣。此二句乃韻
> 語，或丈人引古諺歟？

　　閱讀古籍者如果具備了這樣的本領，毫無疑問是能新意叢出的，同時也能對別人提出的新解作出判斷。中國經學史，正是在這種不斷出新的詮釋中，豐富發展起來的。

　　其三，明訓詁可以使我們對漢語言文字的意義作根本性的瞭解，豐富我們的精神世界與知識領域，體會中國文化的博大精深。漢語的許多詞語都藏著歷史，只有訓詁，才能破解其秘，走進歷史。一旦進入歷史，就會感到打開了一扇新世界之門，甚至會感到精神所獲得的提升。如韓愈《師說》：「師者，所以傳道授業解惑也。」我們現在也常說「畢業」、「肄業」、「學業」。為什麼叫「授業」，「業」是什麼意思，則很少有人知道。章太炎先生認為，業是古代師徒講習用來謄寫的木版。《爾雅》云：「大版謂之業。」《管子》云：「修業不息版。」

修業就是修習版上所書的內容。以前人用竹簡作書，一本書要用很多條竹簡。如《儀禮・鄉射》有六千字，《大射儀》有六千八百字，而每一根竹簡只能寫二十多個字。這樣如果把《大射儀》與《鄉射》的竹簡平鋪在地，就可能占地達一丈六尺。師徒十餘人對面講誦，這就不是一個房間所能容納的了。因此講授時絕不能帶原書，必須移抄到版上，才便於攜帶，所以叫授業、肄業。所謂學業、畢業都是從這裏來的。章氏對這個詞的追本溯源，不僅使我們瞭解了「業」字本來的意思，還使我們瞭解了古代師徒講習的一個方面。

如「胡亂」。《紅樓夢》第四回：「雨村便徇情枉法，胡亂判斷了此案。」《儒林外史》第二十二回：「牛浦道：『晚生山鄙之人，胡亂筆墨，蒙老先生同馮琢翁過獎，抱愧實多。』」為什麼叫「胡亂」？如果從這兩個漢字的本意看，是很難發現它與現在所謂的任意、沒有道理、隨便之類意思有何聯繫的。明呂毖《事物初略》云：「秘書云：五胡亂華之日，漢人之避兵者，凡事皆倉卒為之，不能完備，即相率曰：胡亂且罷。始此。」其實「胡」字系列的詞，都與胡人有關。杜甫《往在》詩：「往在西京日，胡來滿彤宮。中宵焚九廟，雲漢為之紅。」這是很恐怖的。因為那時胡人入中原，行為橫暴，在當時漢族人看來他們是不講道理、沒有章法的，於是「胡」字有了侮蔑的意思。出現了胡來、胡說、胡話、胡扯、胡混、胡行、胡作非為、胡思亂想等之類的詞。《五燈會元》中有言「一個說長說短，一個胡言漢語」，「胡」字與「漢」字相對，正說明了「胡」所指是北方的少數民族。今人每言「胡攪蠻纏」，「胡」與「蠻」相對，蠻指南方的少數民族，更可證「胡」指北方的草原民族。在北方一些農村稱男人為「漢家」，如說「你的漢家」、「我的漢家」，又稱男人為「漢子」、「男子漢」，顯然這種稱呼又是來自胡人的。

又如「窈窕」。《詩經・關雎》云：「窈窕淑女，君子好逑。」現

在人稱姑娘長得好看叫「窈窕」。「窈窕」二字皆從穴，這與美好貌是不搭邊的，為什麼會有美貌、漂亮的意思呢？《說文》：「窈，深遠也。」「窕，深肆極也。」「窈窕」本義為洞穴幽深。張舜徽先生《說文約注》卷十四所云：「窈窕二字本義，皆言穴之幽深寬閒，故字從穴。」據考古學及人類學研究，人類的歷史有幾百萬年之久，這幾百萬年間，人類幾乎是在穴居中度過的，真正脫離穴居也只有幾千年。黃土高原至今仍存有穴居洞處的風俗，即所謂「土窯洞」。其俗富有者窯洞深而寬，貧寒者窯洞則淺而窄。《毛傳》以「幽閒」釋「窈窕」，「幽」有深義，「閒」有寬義，所言正指洞穴之深寬。而當先民由山丘移居於平原、構製房屋之後，「窈窕」一詞便引申出宮室幽深之義。古代貴族女子，每居於後室，即所謂深宮之中，故「窈窕淑女」便具有了後世所謂「大家閨秀」之義。《禮記·昏義》言：「古者婦人先嫁三月……教以婦德、婦言、婦容、婦功。」處於「窈窕」深宮的少女，正當豆蔻年華，自然容貌姣好，體態嫩柔，再經過教育，有教養，懂婦道，便多了端莊閒雅之態、專貞賢淑之德，故此「窈窕」便引申出言女子美好之義。「窈窕」，音轉為「要紹」、「夭紹」。如《西京賦》曰：「要紹修態」，《詩經·陳風·月出》：「舒夭紹兮」，曹植《感婚賦》：「顧有懷兮妖嬈。」又轉而為「綽約」。《廣雅·釋詁》：「窈窕，綽約，好也。」馬王堆帛書《五行篇》引《詩》「窈窕淑女」作「茭芍」，「茭」字在宵部，「綽」字在藥部，古音相近。「約」、「芍」皆從「勺」得音。王延壽《魯靈光殿賦》曰「旋室便娟以窈窕」，張衡《南都賦》曰「要紹便娟」，司馬相如《上林賦》則曰「便嬛綽約」，是窈窕、要紹、綽約意通之證。又作「淖約」，《莊子·逍遙遊》：「藐姑射之山，有神人居焉，肌膚若冰雪，淖約若處子。」或作「婥約」，《玉篇·女部》：「婥約，好貌。」俗又寫為「媌條」、「苗條」。《聊齋誌異·董生》：「十年不見，遂苗條如此！」我們

從「窈窕」的尋根中，不僅可瞭解到古代女性的生活，也可看出其因音轉而發生的變化，即其與諸多詞彙之間的聯繫。

這裏需要補充說明的是，現在人多以為訓詁只對閱讀秦漢以上的書有意義，其實不然。唐宋以後的文獻閱讀，同樣存在訓詁的問題。如果我們用現在人的觀念去理解唐宋以降文獻，也可能導致不該發生的錯誤。這裏舉幾個例子說明。

我們先看下面這兩首詩詞。

王建《山中惜花》：「忽看花漸稀，罪過酒醒時。尋覓風來處，驚張夜落時。」

楊萬里《聽蟬》：「罪過渠儂商略秋，從朝至暮不曾休。莫嫌入夜還休去，自有寒蛩替說愁。」

如果把「罪過」解釋為罪行或過失，是無論如何都難說通的。其實王建詩的「罪過」是幸虧的意思，是說幸虧酒醒得遲了，如果早點酒醒看到了花落的情形，那是會更傷心的。楊萬里詩中的「罪過」是多謝的意思，多謝它能感覺到秋天的到來，故而從早到晚叫個不休。

又「勞動」：

白居易《病起》：「病不出門無限時，今朝強出與誰期。經年不上江樓醉，勞動春風颺酒旗。」

又《答閒上人來問因何風疾》：「一床方丈向陽開，勞動文殊問疾來。欲界凡夫何足道，四禪天始免風災。」（色界四天，初禪具三災，二禪無火災，三禪無水災，四禪無風災）

顯然要把「勞動」理解為勞作，是講不通的。「勞動」其實就是「勞駕」、「多謝」的意思。前詩說：處病不出門，好不容易今天出來了。好長時間不飲酒，就勞駕春風揚旗，勸我一醉吧。後一詩是說感謝對方來問風疾的。

又「容易」：

歐陽炯《木蘭花》：「兒家夫婿心容易，身又不來書不寄。閒庭獨立鳥關關，爭忍拋奴深院裏。」

邵雍《秋日飲後晚歸》：「水竹園林秋更好，忍把芳樽容易倒。重陽已過菊方開，情多不學年光老。」

這裏的「容易」並不是簡單、不費事，而是輕易、疏忽。

總之，訓詁學是漢語言文字學中不可缺少的一門技術性學問，是開啟古典之門的管鑰。它要最大限度地運用文字學、音韻學以及各種古典知識，解決漢語語言文字的意義問題。從漢語語義角度言，訓詁學可以通過浮動在詞語表層的意義，進入歷史深處，啟動民族古老的記憶。從文獻閱讀言，訓詁學可以使文本獲得確解，並擺脫舊說的制約，從對文字新的詮釋中，開發出新的意義領域。

因此可以說，不明訓詁，不可以讀經史。

第二節　訓詁學的方法與實踐

前面說過，訓詁學是利用綜合性的知識解決漢語語義問題的帶有技術性的一門學問。既是技術，其所面對的就是「問題」，因而訓詁的發生是以「問題」為前提的。問題包括兩種類型，一種是已存在的問題，一種是未被發現的問題。訓詁學就是要使你在別人認為有問題的地方，發現它本不存在問題；在別人認為沒有問題的地方，發現它存在問題。比如《詩經‧關雎》篇：「參差荇菜，左右流之。窈窕淑女，寤寐求之。」這個「流」字，《毛傳》注曰：「求也。」但這「流」怎麼能解作「求」呢？朱熹認為有問題，於是就改釋為「順水之流而取之」。元李冶及清毛奇齡、姚際恒、牟應震、方玉潤及近人于省吾等，都以為釋「流」為「求」，沒有道理，「流」應該是指荇菜在水中隨波漂流。而牟庭《詩切》則認為「流」是「摎」的借字。

「《廣雅》曰：『捄，抒也。』曹憲音『捄』為『流』。張衡《思玄賦》舊注：『捄，求也。』」牟庭的意見看來是對的，因為荇菜多生長於湖泊靜水之中，流動緩慢的溪河中亦偶而可見，但因其葉圓大，連成一片覆蓋於水面，莖細而深，藏於水下，不易見其左右流動之態。這便是在有問題的地方看到它不存在問題的例子。《詩經·碩鼠》曾被選入中學與大學教材。詩的第一章有「碩鼠碩鼠，無食我黍」，第二章則為「無食我麥」，第三章為「無食我苗」。但文後注釋：碩鼠就是大老鼠。但老鼠原本就不吃禾苗，為什麼要說「無食我苗」呢？這是問題。要發現問題，就需要追問「為什麼」，這也是發現問題的前提。要解決問題，則要全面調動自己知識系統的功能，這就可能要涉及語言學以外的種種知識。傳統訓詁學主要搜羅經史子集中的有關資料以作證明，現代訓詁學則除傳統文獻之外，還取證於出土文獻、甲骨文、金文，以及田野考察資料（如民俗學、人類學、民間傳說、方言等方面的資料）。訓詁學的「綜合性」特點，就體現在所用知識的多樣性上。這一點我們在後面的實際例子中再細作分析。

訓詁學的目的約略有三：一是追求更佳解釋，二是追求詞義本源，三是追求矛盾解決。就第一點言，儘管前人已有成說，而且也說得通，但認為並不十分妥帖，由此而尋求新見，以求解釋更加合理。這種情況在訓詁中最為常見。如中學課本選有柳宗元的《捕蛇者說》，其中引到了《禮記·檀弓下》的「苛政猛於虎」，注釋為「苛酷的統治比老虎還要凶」。《禮記》中「苛政」的「政」字，歷來都不加注，這是將「苛政」理解成了「暴政」，以為無須加注。課本的注釋顯然也是如此。這樣解釋似乎也可，但王引之以為將「政」字讀作「徵」更確切。他在《經義述聞·禮記》中說：「政讀曰徵，謂賦稅及徭役也。誅求無已則曰苛徵。《荀子·富國》篇：『厚刀布之斂以奪之財，重田野之稅以奪之食，苛關市之征以難其事。』楊注：『苛，

暴也；徵亦稅也。』是也。古『政』與『徵』通。」就第二點言，詞的表層意思本已清楚，但想進一步深刻理解，就必須知其「所以然」，故要考稽源流。如李伯元《南亭筆記》卷十一：「翁叔平兩番訪鶴，吳清卿一味吹牛。」眾所週知，「吹牛」就是說大話，或又稱「吹牛皮」。但究其因，則鮮有人知。顧頡剛先生《史林雜識初編・吹牛、拍馬》就對此作了專門考證，認為此語出自西北方言。西北大川不少，人渡河用牛皮筏子或羊皮筏子。筏子最小的也要五張羊皮，牛皮筏子大者要連接上百張牛皮，載重數千斤乃至數萬斤。筏子要用一種特殊的方法才能充滿氣，氣滿了筏子才能浮而不沉。因此那裏的人對他人誇口不耐煩時便說：「請到黃河邊上去吧！」意思是你到那裏吹牛皮去吧。那裏的人陸則乘馬，以得駿馬為榮耀。平時牽馬相遇，常互相拍其馬屁股誇讚「好馬！好馬！」有人為了討好對方，即使對方馬不好，也要拍其馬屁股說：「大人的好馬！」於是就有了吹牛、拍馬之說。知道了詞義本源，回頭再看，就會感到意趣盎然。就第三點言，矛盾的發現，會引起心中的不安，而矛盾的解決，本身又是獲取新意的方式。像清儒王念孫的《讀書雜志》，王引之的《經義述聞》，俞樾的《群經平議》《諸子平議》等，多半是對所發現矛盾問題的新解答。

訓詁學的方法基本上有四種，即以形索義（形訓）、因聲求義（聲訓）、據文考義（義訓）、援事解義。這四種方法的共同點，即均為面對問題或矛盾而採取的處理手段。

先看「以形索義」。聞一多《詩經新義》有「好」字一則，是解釋「君子好逑」、「公侯好仇」的「好」字的。《關雎》言「君子好逑」，另有版本作「好仇」，《詩經》篇有「公侯好仇」，這兩個「好仇」應該意思相同。但《毛傳》解「逑」為「匹」，認為「好逑」就是「好匹」，鄭玄注釋為「怨耦曰仇」，是都把「好」當做形容詞。而

《兔罝》篇又言「公侯干城」、「公侯腹心」,「腹心」、「干城」都是由
兩個意義相近的名詞平列構成的,那麼,「好仇」也應該是兩個意義
相近的名詞。這是問題的提出。接著,他提出了一個新觀點,在甲骨
文中,辰巳午未的「巳」作「子」,與子孫的「子」同,又與已然之
「已」同,那麼,從子之「好」與從己之「妃」也應該相同。《大戴
禮記·保傅》篇說「太子少長,知妃色」,《新書·保傅》篇「妃色」
即作「好色」。由此證明,「好仇」意當同「妃仇」。《左傳·桓公二
年》云:「嘉耦曰妃,怨耦曰仇」,知「妃仇」為古之成語。妃與匹、
仇與儔,聲義並同,因此「妃仇」就是「匹儔」,「君子好仇」就是君
子匹儔。這就是用「以形索義」法所獲得的新解。再如,晉國為什麼
稱「晉」?我們也可以用「以形索義」的辦法來解決。「晉」字,《說
文》作「䣐」,云:「進也,日出萬物進。從日,從臸。」楊樹達《積
微居小學金石論叢》據金文作䣐,則以為晉字上似二矢,下為插矢之
器,像兩矢插入器中之形,就是箭的古文。《儀禮·大射儀》鄭注:
「古文箭作晉。」因箭前射,故《釋名》云:「箭,進也。」晉之命
名當與其地產箭相關。《國語·晉語八》說:唐叔虞勇而善射,射殺
了一頭大雌犀,周王嘉獎他,把他封到了晉地。晉國原有地名叫做
兾,兾的古文即似矢穿豕腹之形。夏人原來在晉南,他們的箭也享有
盛譽,司馬相如《子虛賦》曰:「左烏號之雕弓,右夏服之勁箭。」
司馬遷在《史記·貨殖列傳》中說「山西饒材、竹」,而竹正是古人
做箭的材料。《釋名》云:「晉,進也。其土在北,有事於中國,則進
而南也。」這個解釋顯然是錯的。這一探索還可以從魯、秦、豫等國
的命名中得到證明。秦字從禾,是因為秦地宜於種禾,《說文》云:
「秦,伯益之後所封國,地宜禾。」「魯」字從魚,因其近海,盛產
魚類水產。「豫」字從象,是因為河南原產大象。《說文》云:「豫,
象之大者。」古有商人服象之說,商人活動地正在豫。

「因聲求義」，是根據讀音尋求文字的意義，這在訓詁上使用頻率要遠高於「以形索義」。因此在文字的實際運用中，本字本義逐漸減少，更多的是文字的引申義或假借義。以于鬯《香草校書》卷五十三解《論語》「及其老也，血氣既衰，戒之在得」一則為例。《論語‧季氏》篇云：「孔子曰：君子有三戒：少之時，血氣未定，戒之在色；及其壯也，血氣方剛，戒之在鬥；及其老也，血氣既衰，戒之在得。」這是《論語》中的名言，一般認為，這是針對人少年貪色、青壯好鬥、老年貪利的本性而發，所以舊解「得」字為「貪得」或「好聚斂」。于鬯則說：像貪得、好聚斂的毛病是人人都應該戒的，何必到老年才戒呢？而且這與血氣有什麼關係呢？因此他認為，「得」字應該讀做「食」。「食、得古音同部，亦在假借之例。且得之則食，而食必有得。二字義本相成。故如《孟子‧告子》篇云：『一簞食，一豆羹，得之則生，弗得則死。』若改為『食之則生，弗食則死』，亦可通也。」這裏之所以要把吃飯與血氣聯繫起來，是因為「蓋過食傷血氣，故既老之人所宜戒也。《內經‧從容論》云：『夫年長則求之於府。』彼與下文年少壯並言，則年長者正謂年老也。王注云：『年之長者，甚於味則傷於府。』此老年當戒之明證矣。上文言少時戒色，及壯戒鬥，與此及老戒食，皆言保身之道，故就血氣之變為茲三戒也。」

「因聲求義」，在形聲字中最易見效。因在上古漢語中，音同義則通，而形聲字之間的聯繫更為密切，故相互通假的頻率也最高。一般說來，只要聲符相同，字形如何關係不是太大。此以于省吾《澤螺居詩經新證‧施於中逵》為例。《詩經‧兔罝》篇曰：「肅肅兔罝，施於中逵。」又說：「施於中林。」「兔罝」是捕兔子用的網，「肅肅」是網細密之貌。「中林」指的是樹林中，「逵」，《毛傳》認為是「九達之道」，即九輛車子可並行的大道。可這種大道古代是城中才有，兔

網怎麼會布在大道上呢？故于省吾說：「兔罝萬無設於城內『九達道』之理，即使在野外，也不會設在交通要衝，何況典籍中稱達者都指城內言之乎？」因此，他認為「達」字實即「陸」之借字。他說：「《說文》達為迖之重文，段注謂『坴亦聲』，是達與陸音符同。故相通假。《易・漸》上九：『鴻漸於陸，其羽可為儀。』宋范諤昌改陸為達以諧韻，雖然改得不對，但也說明了陸、達字通。《說文》：『陸，高平地，從𨸏從坴，坴亦聲。』《爾雅・釋地》：『高平曰陸。』然則『施於中達』即『施於中陸』。此詩之陸韻仇，猶《考盤》之陸韻軸，古韻同屬幽部。三章稱『肅肅兔罝，施於中林』。中林與中陸互文。《正月》言『瞻彼中林』、『瞻彼阪田』；《易・漸》九三言『鴻漸於陸』，六四言『鴻漸於木』。這裏所引的中林、阪田、木等均指野外言之。此詩三章『施於中林』的中林是就野外言，則『施於中達』的達非指城內言之甚明。」像類似的情況，一般首先考慮的都是同聲符的字，其次才是同音字。

　　「據文考義」，是根據文章上下的意思來判斷詞義的。像「因聲求義」往往要破字改讀，而「據文考義」則可以就原文推敲。如朱東潤主編的《中國歷代文學作品選》上編第一冊《馮諼客孟嘗君》，於「於是約車治裝，載券契而行」句注：「約車治裝，約期準備車子，並置辦行裝。」認為「約」是「約定」的意思。但從語氣體會，此有行動迅速之意在內，即馬上就治裝起身，並沒有預先約定好日期，然後才做準備的意思。顯然，釋「約車」為「約期準備車子」是不妥的。「約」有具辦的意思，與備馬、備輶之「備」是一個意思，「約車」就是「備車」，這是古人的習慣用語。如《戰國策・秦策一》：「王召陳軫告之曰：吾能聽子，言子欲何之？請為子約車。」高誘注曰：「約，具也。」《秦策二》曰：「張儀曰：王其為臣約車並幣，臣請試之。」高誘注曰：「約，具也。」《齊策三》曰：「太子曰：謹受

命。乃約車而暮去。」這是當天起身離去的，顯然「約」也不是「約期」的意思。《史記·趙世家》：「於是為長安君約車百乘，質於齊。」《魏世家》：「遂約車而遣之。」皆是具車之義。漢字一字多義，形成了詞語運用中的複雜現象，這就需要正確地作出判斷，選擇最佳義項來詮釋文本。

「援事解義」是比較特殊的情況，因為典故藏於事物中，從文字表層上難以看出，只有將其事物揭開，才能獲得理解。這種現象在漢唐以後，益發平常。如秦韜玉《採茶歌》：「天柱香芽露香發，爛研瑟瑟穿荻篾。太守憐才寄野人，山童碾破團圓月。」這裏所說的「團圓月」，有人就認為指天上的月亮，可是月亮怎麼會被碾破呢？於是強作解釋：月光照在茶碾上，因山童碾茶，使月光破碎。這顯然是望文生義。「團圓月」在這裏指的是茶餅。這首詩寫的是採茶、治茶、用茶的情況。天柱山是產茶的地方。茶葉採下來要經過加工，將新鮮的茶葉倒入甑中用蒸殺青，然後研爛，裝荻篾投入茶焙烘乾，形成餅狀。吃的時候再碾碎。因茶餅是圓的，因此古人每取「月」為喻。如盧仝《走筆謝孟諫議寄新茶》：「開緘宛見諫議面，手閱月團三百片。」宋代王禹偁《恩賜龍鳳茶》：「香於九畹芳蘭氣，圓如三秋皓月輪。」像這類情況，如果不明本事，是很難解釋清楚的。前面所提到的「胡亂」、「吹牛」、「拍馬」，情況類似。

這四種訓詁方法，並不能提前預設，而是要根據具體情況來掌握。從前面的舉例中我們可以看到，在具體的論證手段中，一般要有這樣幾項：一、問題所在；二、提出主導性意見；三、取證。在取證中，則可以不限一隅，經史子集的語料皆可調用。如前面提到的于省吾關於「施於中逵」的解釋，他的證據是：一、逵、陸聲符相同；二、逵、陸在同一韻部；三、中林與中陸互文，皆指野外。又如于鬯對「戒之在得」的解釋，他的證據是：一、食、得古音同部；二、取

《孟子》文以說明得與食的關係；三、取《內經》文以證食與老衰當戒的關係。一般取證不少於三則，孤證則難成立。

　　前面所舉的例子中，頻繁地出現了《說文》《玉篇》《爾雅》《廣雅》《左傳注》《禮記注》《毛傳》等古籍，這些都是訓詁學的典範之作，是進行訓詁不可缺少的基本文獻。《爾雅》《方言》《廣雅》等，是根據詞義的性質分類編排的，屬「義訓」之書。如《爾雅》第一篇《釋詁》云：「初、哉、首、基、肇、祖、元、胎、俶、落、權輿，始也。」就是說，這十一個詞，字雖不同，意思則是一樣的。《說文》《玉篇》等，是根據字形部首編排的，乃「形訓」之書。劉熙的《釋名》，根據字的讀音來詮釋字義，為「聲訓」之書。如云：「父，甫也，始生己也。」「母，冒也，含生己也。」「室，實也，人物實滿其中也。」「男，任也，典任事也。」「女，如也，婦人外成如人也。」上面提到的幾部辭書，清儒都有很好的注本，如郝懿行《爾雅義疏》、錢繹《方言箋疏》、王念孫《廣雅疏證》、王先謙《釋名疏證補》等，注文都能窮搜文獻，遍討證據，把大量的訓詁材料羅列於注中，成為訓詁學研究的新經典。

　　另外像《詩經》《禮記》《左傳》《戰國策》《呂氏春秋》《淮南子》等古籍的古注，也常被作為古訓的根據。某字作某種解釋，必須要有根據。有資格作根據的，除《說文》《爾雅》等此類專書外，就是這些古注。這些書可以當做權威性的字典、詞典來用。唐以後的類書，如《藝文類聚》《初學記》等，則可以看作「援事解義」的書。這些書會聚了許多典故，是唐宋以降人作詩作文取典的淵藪，故四庫館臣說：「此體一興，而操觚者易於檢尋，注書者利於剽竊。」

　　另外，貫穿其間的還有音韻學知識，這是訓詁絕對不可或缺的。因為古音通假，離不了音韻。像陸法言《切韻》、陳彭年《廣韻》、丁度《集韻》等，都是音韻學的名著。但音韻學有一定難度，我們可以

利用今人的研究成果。比如唐作藩先生的《上古音手冊》，就是一部可利用的非常方便的音韻學工具書。我們可以通過查找，來確認該字在上古的聲母和韻部，以判斷其是否可通假。

在訓釋古書中，除以上所言經史子集資料外，隨著甲骨金文及出土文獻在20世紀的不斷發現，利用出土資料，解決文獻訓詁問題，已逐漸成為時髦。像于省吾先生《澤螺居詩經新證》《澤螺居楚辭新證》《雙劍誃諸子新證》等，就是應用古文字資料解決古籍閱讀問題的很好的訓詁學著作。文字學家在這方面大多創獲較多，有些見解堪稱破千古之謎。如《詩經‧大叔于田》與《小旻》中都提到「暴虎」。《毛傳》一解作「空手以搏之」，一解作「徒搏」。《呂氏春秋‧安死》篇高誘注：「無兵搏虎。」裘錫圭先生則根據古文字中暴字從虎從戈的字形，認為暴字是用戈搏虎之義。於是說「暴虎可以使用兵仗，認為『空手』『無兵』而搏虎才叫暴虎，是不正確的」。[1]

這裏還要提到的是利用方言、民俗資料的問題。這是傳統訓詁學不大注意的一個方面，但這方面資料的利用，可以使已經死去的詞彙變活。因為古漢語中的許多詞彙，雖然在普通話中已經消失，但在方言中往往有所保存。如「朕」，先秦時人用以自稱，後來成了皇帝的專利。對現在人來說就很陌生，而且感到何以稱「朕」，不可理解。但據章太炎先生研究，「咱」就是「朕」的音變。這一下子就縮短了時間距離，非常容易理解了。《荀子‧勸學》曰：「有爭氣者，勿與辯也。」《韓詩外傳》卷四云：「有諍氣者，勿與論。」章詩同注曰：「爭氣，意氣用事。」王天海注為「以意氣相爭」。其實「爭氣」、「諍氣」，就是山西萬榮人的「爭氣」，是指那股執拗勁與爭勝勁。萬

---

1 裘錫圭：《說「玄衣朱襮」——兼釋甲骨文「虣」字》，見裘錫圭：《古文字論集》，350-352頁，北京，中華書局，1992。

榮一人冬天睡覺，覺得被窩太冷。一氣之下脫光衣服跑到院子裏凍了半小時，然後鑽進被窩，很得意地說：「我看是你冷還是我冷！」瞭解了這一點，再讀《荀子》，理解就會深透多了。

再如《邶風・新臺》：「新臺有泚，河水瀰瀰。燕婉之求，籧篨不鮮。」是說姑娘本想嫁個如意郎，可結果卻嫁了個醜八怪。關於籧篨，《毛傳》釋「不能俯者」，高誘注《淮南子》云「傴也」，《說文》云「粗竹席也」，解釋者越多，人們越不明白是何物。但一與方言結合，便釋然。「籧篨」就是晉南方言中的「圪篨」。古無舌上音，「籧篨」古當讀為「圪篨」。在晉南臨汾地區方言中，說人個子短粗叫「圪篨」，或形容之曰「一圪篨」。詢問老人得知，當地把一種用蘆葦或高粱桿兒編織成的大筐子似的盛草器叫圪篨。其四周像是席子圍起來的，但底部是包著的。《爾雅》釋文：「籧，本或作𥴩。」《說文》：「𥴩，食牛筐也。」正與此相證。圪篨一般高只有二三尺，而周長就有七八尺，看起來短而粗，用來形容人的個子短小而胖，那是再好不過了。《毛傳》所謂「籧篨不能俯者」，像如此粗短之物，的確是絕對不能彎曲的。就在這同一篇詩中，又把衛宣公比成了「戚施」。《毛傳》曰：「戚施，不能仰者。」《爾雅・釋訓》云：「戚施，面柔也。」《釋文》引舍人云：「戚施，令色誘人。」《韓詩薛君章句》說：「戚施，蟾蜍，喻醜惡也。」這個詞語很生僻。其實「戚施」就是山西方言中所說的「𪒠𪐴」，讀音如「求實」。山西人每罵人難看說：「看那𪒠𪐴」，而且也只有這一種用法。

再如《詩經・生民》，寫周人先祖后稷誕生的神話。詩中說周女始祖姜嫄，因踩大人腳印而懷孕，後來就生下了后稷。她把后稷扔到小巷，見牛馬都避著他走；又把他轉扔到樹林裏，恰好遇上了伐木的人；又把他扔到渠中的冰上，沒想到有鳥飛來用翅膀保護他，孩子哭叫起來，老遠就可以聽見。寫到姜嫄生后稷時說：「誕彌厥月，先生

如達。不坼不副，無菑無害。」關於「達」字，《毛傳》釋為「生」，《鄭箋》釋為「羊子……生，如達之生，言易也。」這是說后稷生時像羊生子一樣，很順利。可問題是姜嫄為什麼要把孩子扔掉呢？幾千年來，人們始終對這一問題解釋不清。一旦我們結合方言與民間傳說，問題便馬上消失了。在黃土高原的一些地方，如晉南，孩子的小名中經常出現「達」字。如孩子叫「建平」，他的小名就有可能被叫做「平達」；名字叫「國慶」，小名就有可能叫「慶達」。這個「達」到底是什麼意思，老人們從來沒有解釋過，但有時也用「親圪墶」、「親蛋子」稱呼自己的孩子。這裏似乎透露了一點信息。「達」、「塔」、「蛋」乃是一聲之轉，這個「達」就是「蛋」之聲轉。如晉中有些地方，就把「蛋」讀做「達」。黃土高原上以「蛋」命名的現象十分普遍，各地都有如黑蛋、白蛋、豬蛋、狗蛋之類的人名。「先生如達」就是說初生下時是一個蛋。詩篇在述到后稷出生時，沒有提到哭聲。直到輾轉丟棄，經鳥覆翼之後，才說「后稷呱矣」。說明后稷是鳥從蛋中孵出來的。后稷出殼後才開始發出哭聲。《魏書・高麗傳》說：高麗先祖朱蒙初生時，為一卵，大如五升。棄之豬狗，豬狗不食，棄於道路，牛馬避之。夫餘王割剖之，不能破。後來其母以物裹之，置於暖處，遂孵出一男孩，即朱蒙。《博物志》中所載徐偃王出生故事，黎族中流傳的其始祖母出生的故事，大略相似。此可作此《生民》詩的注腳。更有意思的是，在陝西流傳的《姜嫄娘娘》的民間傳說中，也說姜嫄生下的是個大肉球。這樣，后稷的出生便有了全新的解釋，而詩中的疑點也一下子全解決了。

　　總之，訓詁是調動全部知識系統，對語義進行詮解的學問。只有明訓詁，才能進入古代的堂奧，也才能從舊學中獲取新知。由小學入經學，由經學通文史，這是一條傳統的治學之路，也是值得我們今天借鑑的。

思考題

1. 什麼是訓詁學？
2. 訓詁學有何意義？
3. 何謂因聲求義、因形索義？
4. 《爾雅》《方言》《釋名》《廣雅》是什麼性質的書？它們有哪些重要的注本？
5. 試注釋《詩經》中的一篇詩歌，作為訓詁實踐。

參考書目

〔清〕郝懿行：《爾雅義疏》，上海，上海古籍出版社，1983。

〔清〕錢繹：《方言箋疏》，北京，中華書局，1991。

〔清〕王念孫：《廣雅疏證》，南京，江蘇古籍出版社，1984。

〔清〕王先謙：《釋名疏證補》，上海，上海古籍出版社，1984。

〔清〕朱駿聲：《說文通訓定聲》，北京，中華書局，1984。

〔清〕王引之：《經義述聞》（清經解本），上海，上海書店，1988。

〔清〕俞樾：《群經平議》（清經解本），上海，上海書店，1988。

〔清〕俞樾：《諸子平議》，北京，中華書局，1956。

章太炎：《章氏叢書・文始新方言》，揚州，江蘇廣陵古籍刻印社，1981。

于省吾：《澤螺居詩經新證》，北京，中華書局，1982。

陸宗達、王寧：《訓詁與訓詁學》，太原，山西教育出版社，1994。

第二編
經學

　　「經學」是以儒家經典為研究對象的學問。《說文》曰：「經，織也。」原指織機上的縱線。縱線固定在織機上，決定著織物的長度和寬度。緯線則隨著梭子來回運動，而成布帛。故而經有經常、準則、法度的意思。經過孔子之手編定的幾部古書，在儒家看來也是具有這種意義的，於是被稱作「經書」。所以《釋名》曰：「經，徑也，常典也。」《文心雕龍‧宗經》篇曰：「經也者，恒久之至道，不刊之鴻論。」《四庫全書總目》更稱道曰：「經稟聖裁，垂型萬世，刪定之旨，如日中天。」

　　但從先秦的一些資料來看，「經」這個名字可能在孔子之前就出現了。《管子》中就有了「四經」的說法。其所指是《詩》《書》《禮》《樂》四部古籍。在靠竹簡書寫記錄的時代，古代的典籍是用二尺四寸長的竹簡或木牘書寫的，每一支簡寫二十四五個字。這是當時的大開本，以示重要。解釋文字則寫在八寸或六寸的小簡上，相當於現在的小開本。大開本的是「經」，小開本的是「傳」。《說文》曰：「典，五帝之書也。從冊在丌上，尊閣之也。莊都說：『典，大冊也。』」「大冊」自然就是大開本了。因為大，不能用雙手端著看，只能放在可擱物的平臺上，所以是「從冊在丌上」，這也就是「經典」了。孔子整理這些典籍，並用這些典籍教授學生，建立了完整的經典文化體系，也大大強化了經的概念，所以後儒把「經」的名字與孔子聯繫起來，也不是完全沒有道理的。

　　《管子》提到四經，《荀子》反覆提《詩》《書》《禮》《樂》《春秋》五經，《莊子》提到六經，比《荀子》多一部《易》。到漢代，

《樂經》不傳，所以官方立博士官只設立了五經博士。東漢提出了
「七經」，五經之外增加了《孝經》《論語》。唐初提出了「九經」，即
「三禮」（《周禮》《儀禮》《禮記》）、「春秋三傳」（《左傳》《公羊傳》
《穀梁傳》）加《詩》《書》《易》。唐後期開成二年（837年）又出現
了「十二經」，即於「九經」之上加《論語》《孝經》《爾雅》。宋儒又
於「十二經」上加了《孟子》，變成了「十三經」。這十三部經書，量
確實有點大，要通讀全學，真有點難，也不便於掌握。於是南宋朱熹
刪繁就簡，編成了「四書」。「四書」是《論語》《孟子》，再加《禮
記》中的《大學》《中庸》兩篇。「四書」加「五經」，便成了元明以
來所稱的「四書五經」。不過出於閱讀和實際內容的考慮，「五經」中
《周易》《尚書》《詩經》沒有變化，「三禮」中則選擇了《禮記》，因
為《周禮》與《儀禮》都很難讀，而《禮記》內容雖雜，卻比較容易
接受。《春秋》則附了「三傳」。在《四庫全書》的分類中，「四書五
經」都歸到了經部，這也就變成了一個新的「經典核心」。

　　經書是一個價值系統，它所承載的是中國人的道德精神與價值核
心。就中國文化、學術而言，「經」是源，史學、子學、文學都是出
自源的河流。「史」是實的，「子」是虛的，「文」是活的，而「經」
則是渾然的包容這一切的博大精神。馬一浮在《泰和會語》中就曾認
為，「六藝該攝一切學術」，而且「六藝不唯統攝中土一切學術，亦可
統攝現在西來一切學術」。「弘揚六藝之道，並不是狹義的保存國粹，
單獨的發揮自己民族精神而止，是要使此種文化普遍的及於全人類，
革新全人類習氣上之流失，而復其本然之善，全其性德之真。」這也
是從道德精神的角度而言的。經書的變化，所體現的也並非學術觀點
的不同，而是歷史對核心價值觀的不斷選擇與完善。經書的研究，啟
動了中國學術的發展與中國文化的發展，而汗牛充棟的經學著作，也
構成了中國學術與文化的中心。朱熹「四書」體系的建立，是一種凝
練意識形態話語系統與標舉中國文化核心價值觀的重大舉措，對元明
以來經學及文化思想的影響極為深廣。故以下重點講「四書五經」。

第三章
五經

「五經」的最終確立是在漢代。在先秦，這個系統還不穩定，如
《荀子》言五經，有《樂》而無《易》；《莊子》稱「六經」，則把
《樂》與《易》都列了進來。《禮記・經解》云：

> 孔子曰：入其國，其教可知也。其為人也，溫柔敦厚，《詩》
> 教也（溫謂顏色溫潤，柔謂情性和柔，詩依違諷諫，不指切事
> 情，故云溫柔敦厚是詩教也）；疏通知遠，《書》教也（《書》
> 錄帝王言誥，舉其大綱，事非繁密，是疏通；上知帝皇之世，
> 是知遠也）；廣博易良，《樂》教也（樂以和通為體，無所不
> 用，是廣博；簡易良善，使人從化，是易良）；絜靜精微，
> 《易》教也（《易》之於人，正則獲吉，邪則獲凶，不為淫
> 濫，是絜靜；窮理盡性，言入秋毫，是精微）；恭儉莊敬，
> 《禮》教也（禮以恭遜，節儉齊莊，敬慎為本，若人能恭敬節
> 儉，是禮之教也）；屬辭比事，《春秋》教也（屬，合也；比，
> 近也。春秋聚合會同之辭，是屬辭；比次褒貶之事，是比事
> 也）。

這是對六經功能的詮釋，《易》與《樂》均在其中。但《樂經》
不傳，六經到漢代只剩下了五經，所以漢武帝只立了五經博士（習慣
上有時還稱「六經」）。這五經便成了中國人的治國大法、行為綱紀、
一切立論的根據。如漢揚雄《法言・問神》云：「天地之為萬物郭，

五經之為眾說郛。」元王惲《醉經堂記》云：「五經者，聖人之成
法，生民之大命繫焉。」

　　「五經」經典文化體系是中國傳統文化的核心，這個體系的確
立，對中華民族的生存和發展，起到了十分巨大的作用。世界四大文
明古國，文化能夠延續不斷的唯有中國，其原因就是因為中國有這個
經典文化系統。中華民族歷盡劫難而不亡，也正是因為有這個經典文
化體系。無論是鮮卑人、女真人、蒙古人，還是滿洲人，要想入主中
原，必須首先接受這個經典文化體系，這就是前人所說的「能行中國
之道者，則能為中國之主」。這裏所說的「中國之道」，其實就是經典
文化體系所體現出的道德精神與價值核心。在「中國之道」的實踐
中，這些民族表面上建立了自己的政權，而其實體卻融入了中華民族
的大家庭中。漢族政權表面上滅亡了，但因文化的存在，最終卻更加
壯大。中國傳統文化的強大融合力便來自於經典文化體系。可以說，
沒有「五經」經典體系，就沒有今天的中華民族！因此「五經」不僅
創造了民族的歷史和文化，也創造了一個民族永恆不滅的奇跡。

　　「五經」中，《易》是天地之大道，《書》是先王行事的記錄，
《詩》是先王之澤尚存的背景下的情懷表達，《禮》是人的行為規
則，《春秋》是人間是非的價值判斷。這五者構成了一個完整的思想
體系與價值系統，確立了中國人特有的文化精神。因此，中國經學史
不是單純的學術史，而是中華民族主流文化精神與主流意識形態的演
變史。

第一節　《易》《書》《詩》

　　在「十三經」序列中，被列到最前面的，是《易》《書》《詩》。
古人認為這三部書時代最古，也最重要，因而研究的人也最多。這三

部書在今天的學科分類上，包括了文、史、哲三個方面。《易》主言理，是人當遵循的；《書》主言事，是為政者當效法的；《詩》主言志，是人情感必然要表達的。這從不同的三個層面上，為傳統的中國人規定了行為方向。

1 《易經》：天地之道

在經學史上，《易經》的研究著作是最多的，這反映了古人對這部書的重視。楊繼盛《讀易有感》說：「眼底浮雲片片飛，吉凶消長只幾希。自從會得羲皇《易》，始覺前時大半非。」（《楊忠愍集》卷三）這是說《周易》使他頓悟人生。明朝丘濬在《大學衍義補》七十三卷中則云：

> 《易》者「五經」之本源，萬世文字之所自出，義理之所由生者也。散見於「五經」者，皆學者人倫日用所當為之事，而其所以當為與不當為者，其理則具於《易》。

這個觀點代表了傳統士大夫對《易經》的認識。《易經》在先秦時單稱一個「易」字，漢以後才有了「易經」、「周易」的名字。因為是周人的作品，故前加了「周」字。至於為什麼叫「易」，前人則有不同的解釋，如《易緯乾鑿度》云：「《易》一名而含三義，所謂易也，變易也，不易也。」其實沒有那麼複雜，《周易‧繫辭》說得很清楚，「生生之謂易」，即「變化無窮、生生不息」的意思。也即

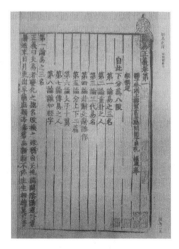

《周易》書影

荀爽所說的「陰陽相易，轉相生也」（李鼎祚《周易集解》卷十三引）。天地間無一物不在變化之中，而《周易》則是在展現這種變化所必須遵循的理則，故名之曰「易」。

關於《周易》的創作過程，《漢書‧藝文志》云：

> 《易》曰：「宓戲（伏羲）氏仰觀象於天，俯觀法於地，觀鳥獸之文與地之宜，近取諸身，遠取諸物，於是始作八卦，以通神明之德，以類萬物之情。」至於殷周之際，紂在上位，逆天暴物，文王以諸侯順命而行道，天人之占，可得而效，於是重《易》六爻，作上、下篇。孔氏為之《彖》《象》《繫辭》《文言》《序卦》之屬十篇。故曰《易》道深矣，人更三聖，世歷三古。

這就是說，《周易》的形成，經歷了三位聖人之手，先是伏羲創造了八卦，接著是周文王演繹為六十四卦，作成《周易》的上、下篇。最後是孔子作了《易傳》。這個傳說雖未必可靠，但卻非常能反映古人對於《周易》的地位、價值以及深不可測的意義的認定。

《周易》分經和傳兩部分。經的部分以八卦為基礎。八卦即乾、坎、艮、震、巽、離、坤、兌。這八卦分別象徵著八類事物，乾為天，坤為地，艮為山，兌為澤，坎為水，離為火，巽為風，震為雷，也可象徵事物八種基本的性質，如乾象徵剛健，坤象徵柔順，震象徵活動，巽象徵善入，坎象徵險陷，離象徵依附，艮象徵靜止，兌象徵喜悅，由此引申，乾可以象徵父，坤可以象徵母，乾可以象徵馬，坤可以象徵牛等。八卦相互重疊，就成為六十四卦。乾上坤下，就組成了「否」卦；坤上乾下，就組成了「泰」卦。八卦為經卦，六十四卦為別卦，每卦有六爻。據《繫辭》的解釋，爻就是效的意思，「爻也

者，效天下之動者也」。解釋經的部分叫傳。傳有十篇，即《彖傳》上、下，《象傳》上、下，《文言傳》，《繫辭傳》上、下，《說卦傳》，《序卦傳》，《雜卦傳》，也稱「十翼」。現在所說的《易經》或《周易》，則包括了經傳全部。

關於《周易》的性質，有兩種意見，一種以為是推天道以明人事，給人以教誨的義理之書；一種認為是占卜之書。《易傳》所特別強調的則是義理的一面。如《繫辭》云：「《易》與天地準，故能彌綸天地之道。」又云：「夫《易》何為者也？夫《易》開物成務，冒天下之道。如斯而已者也。」（姚士粦《陸氏易解》輯陸績言：「開物謂庖犧引申八卦，重之為六十四，觸長爻策，至於萬一千五百二十，以當萬物之數，故曰開物；聖人觀象而制網罟耒耜之屬，以成天下之務，故曰成務也。」宋胡瑗《周易口義》：「言大易之道，其功宏博，能開通於萬物之志，成就夫天下之務，覆冒夫天下之物也。」）又云：「《易》有聖人之道四焉：以言者尚其辭，以動者尚其變，以制器者尚其象，以卜筮者尚其占。」《易傳》中的這種認識，奠定了《周易》成為「五經」之首的基礎。至於《周易》占卜的一面，則被認作是「推天道」的一種手段，目的在於「明人事」。故《四庫全書總目·先天易貫》融會前人之說，結以精闢之論：

> 聖人準天道以明人事，乃作《易》以牖民。理無跡，寓以象，象無定，準以數，數至博而不可紀，求其端於卜筮。而吉凶悔吝，進退存亡，於是見之，用以垂訓示戒。

《周易》的基本思想，可以說以修己治人為目的，以「陰陽」、「則天」、「通變」為理論，以應時處中為核心。「修己治人」的內容，遍布於《周易》一書。如：

《咸彖》：「聖人感人心而天下和平。」

《觀彖》：「觀天之神道而四時不忒，聖人以神道設教，而天下服矣。」

《頤彖》：「聖人養賢以及萬民。」

《節彖》：「天地節而四時成，節以制度，不傷財，不害民。」

《師象》：「地中有水，師。君子以容民畜眾。」

《蹇象》：「山上有水，蹇。君子以反身修德。」

《繫辭上》：「聖人以此洗心，退藏於密，吉凶與民同患。」

所謂「天下和平」、「天下服」、「不傷財，不害民」等，無一不是與治天下相關。而所謂「反身修德」、「洗心」等，則是關係修己的。這就構成了《周易》的核心思想，也證明了《周易》的意義指向在人事而非天道，是在為人的自我修養與天下和平尋求永久性的解決方案。

為了達到這個目的，《周易》提出三個十分重要的理論。第一是「陰陽論」。《繫辭上》云：「一陰一陽謂之道。」即宇宙間的一切事物都是由陰陽二元構成的，陰陽相需而生，這是天地間的法則，也就是所謂的「道」。世間萬物，天地與人，皆運行於此道的支配之中。又云：「天尊地卑，乾坤定矣。卑高以陳，貴賤位矣。動靜有常，剛柔斷矣。」尊卑、剛柔、貴賤、動靜等的對立與統一，便是陰陽的具象化。宇宙間陰陽二元的組成與尊卑的確定原則，推衍於人間，便給每個人以社會、家庭的定位，由此而確立了宇宙與人類社會的秩序。

第二是「則天論」。《繫辭上》云：「是故天生神物，聖人則之；天地變化，聖人傚之；天垂象，見吉凶，聖人象之。」這其實就是「天人合一」理論。用六十四卦象徵天地萬物、人世變化，即已表現出了天人合一、宇宙一體的思想。而所謂「夫人者與天地合其德，與日月合其明，與四時合其序，與鬼神合其吉凶」，更明確地表述了這

一思想。人與天地萬物共生共存，天地萬物是以道的原則而生成的，人法天地，便是對道的遵循。故《周易》中幾乎每一卦都會涉及人對自然效法的意義。如乾代表天，天道運行，四時變化，是任何力量也無法阻擋的，表現出一種剛健強勁的態勢。君子應該效法這種精神，自強不息。故《乾象》云：「天行健，君子以自強不息。」坤代表地，地呈現出一種柔順的態勢，絕不拒斥萬物，而是包容、接納一切，養育萬物生長。君子應該效法這種精神，包容一切。故《坤象》云：「地勢坤（順），君子以厚德載物。」謙卦是由坤卦與艮卦疊成的，坤象徵地，艮象徵山。地在上，屬外卦；山在下，屬內卦。外卑下而內高大，表示謙虛。君子應該效法這一精神，功高不自居，謙以待人，取長補短。故《謙象》云：「地中有山，謙。君子以裒（捊，引取）多益寡，稱物平施。」由此，人類仿傚天地，便構建起了人類社會的道德與秩序。如果違背了道的原則，那便是逆天違道，順天則昌，逆天則亡。由此而確定了治世的法則。

　　第三是「變通論」。《繫辭上》說「一闔一闢謂之變，往來不窮謂之通」，又說「化而裁之謂之變，推而行之謂之通」；《繫辭下》也說「變通者，趣時者也」。簡言之，「變」是指事物在空間中的變化，「通」是指事物在時間中的存在。這是關於事物運動變化的理論，由此而確定了自然與人類社會變化以及王朝更替的合理性。故《革彖》云：「天地革而四時成，湯武革命，順乎天而應乎人，革之時，大矣哉。」

　　「變通論」是建立在「陰陽論」與「則天論」的基礎上的。「陰陽」是事物的構成法則，「則天」是辦事遵循的原則，「變通」則是事物的規律。陰陽相易，則是變化。變化存在著多種可能，聖人效法天地，順應自然，並準此以制定人類社會的行為規則，便可以保證天地間秩序的正常化，以至於「推而行之」、「往來無窮」。事物只有變

通，才能存在；只有變通，才能發展。事物到了極點必然要生變，只有變化才能「趣時」，才能長久。故《繫辭下》云：「窮則變，變則通，通則久。」要想長久，必須隨時而動。故《繫辭下》又云：「尺蠖之屈，以求信（伸）也；龍蛇之蟄，以存身也。」在陰陽不斷變化之中，宇宙獲得了生生不息的永恆。這也是《周易》何以名「易」的一個原因。

《周易》思想的核心則是「時中」。凡事能把握好時機，掌握住火候，即所謂「時」；掌握好分寸，沒有偏差，即所謂「中」。這樣自然能把事物處理得當，不犯錯誤。所以孔子曰：「五十以學《易》，可以無大過矣。」在《周易》中多次言及「中正」、「時中」之類的詞語。如《訟彖》：「利見大人，尚中正也。」《觀彖》：「中正以觀天下。」《姤彖》：「剛過中正，天下大行也。」《蒙彖》：「蒙亨，以亨行時中也。」《益彖》：「天施地生，其益無方。凡益之道，與時偕行。」惠棟《易漢學》卷七有《易尚時中說》一篇，其云：「易道深矣！一言以蔽之曰『時中』。孔子作《彖傳》言『時』者二十四卦，言『中』者三十五卦……子思作《中庸》，述孔子之意曰：『君子而時中。』孟子亦曰：『孔子聖之時。』知『時中』之意，其與易也，思過半矣。」這個認識是有道理的。翁方綱《答趙寅永書》之所以說「今日讀《易》，惟應玩辭以求聖人教人寡過之旨」，其原因也在於此。

「時中」其實就是中庸之道的體現，故《中庸》云：「君子之中庸也，君子而時中。」對《周易》這種思想最好的說明，就是出現於明朝趙撝謙《六書本義》的陰陽魚太極圖。太極圖半黑半白，白代表陽，黑代表陰。白的一邊有黑點，黑的一邊有白點，代表著陰中有陽，陽中有陰。陰與陽相互矛盾，又相互制約，你中有我，我中有你，和諧共存。唯其不同，故能互動；唯其制約，故能和諧；唯其和諧，故有極強的運動感。它像一個高速旋轉的物體，人能感受到它的

氣韻與生命的律動。如果失去「時中」，有一邊不能隨機運轉，馬上就會失去和諧，出現摩擦，影響到正常運轉。如果雙方背離，一方為另一方所代替，運動便會停止，「太極體」便不復存在。這一圖式凝定著先哲對宇宙本質的認識和智慧，也啟迪著我們對問題的處理方式和對未來人類發展的思考。

對於《周易》的價值，以前多關注其在哲學發生、古史資料、歌謠先河、科學啟迪方面的意義，而我們今天更應該關注的是其對於構建中國文化、創造中國歷史、作用於中國人思維的意義。如《周易》關於陰陽二元的理論，就對我們思考問題很有幫助。對一個問題，當我們抓住它的一面進行闡述時，就應該考慮到它還有另一面。看到它的外部，就應該想到它的內在；看到表層，就應該想到它的深層；看到現象，就應該思考它的本質；看到它的正面，就應該尋找它的反面。事物的陰陽法則是永恆的真理，只有同時兼顧陰陽兩個方面，對事物的認識才能全面、深入。

關於《易》學，歷代皆有名著，約分象數派與義理派。象數派主言預測，義理派主言事理。《四庫全書總目·經部·易類一》有精要的概括，其云：

> 聖人覺世牖民，大抵因事以寓教。《詩》寓於風謠，《禮》寓於節文，《尚書》《春秋》寓於史，而《易》則寓於卜筮。故《易》之為書，推天道以明人事者也。《左傳》所記諸占，蓋猶太卜之遺法。漢儒言象數，去古未遠也。一變而為京、焦（漢儒京房、焦延壽），入於禨祥；再變而為陳、邵（宋人陳摶、邵雍），務窮造化。《易》遂不切於民用。王弼盡黜象數（王弼有《周易注》），說以老、莊。一變而胡瑗、程子（胡瑗門人述有《周易口義》，程頤有《易傳》），始闡明儒理。再變

而李光、楊萬里(李光有《周易詳說》,楊萬里有《誠齋易傳》),又參證史事,《易》遂日啟其論端。此兩派六宗,已互相攻駁。又《易》道廣大,無所不包,旁及天文、地理、樂律、兵法、韻學、算術,以逮方外之爐火,皆可援《易》以為說。而好異者又援以入《易》,故《易》說愈繁。

直至今日,《周易》研究仍分兩派,而《周易》向各種研究領域的滲透則更為突出。其中雖不乏玄虛之論,但也體現了《周易》闡釋的無限性。

2 《尚書》:王者之範

乾隆帝《讀尚書有會纂括為言》詩云:

> 心傳允在辨危微,敷政平章慎萬幾。
> ……
> 千古帝王師法具,斂時錫極會而歸。

「斂時錫極」用的是《尚書·洪範》篇的典故。[1]這是說千古帝王的師法就具於《尚書》之中,只要依《尚書》而行,就會獲得民眾的擁戴。顯然與《周易》不同,《尚書》不是讓人頓悟人生,而是為帝王樹立楷模。《說文·曰部》云:「書,著也。從聿者聲。」《說文序》又云:「著於竹帛謂之書,書者,如也。」這是說,把事情如實地記錄在竹帛上就叫「書」。之所以又稱作《尚書》,尚者上也,言其

1　《洪範》云:「斂時五福,用敷錫厥庶民。惟時厥庶民於汝極。錫汝保極。」意思是集聚五福,賜給百姓,這樣老百姓就會以你為中心,保護你的地位。斂是聚的意思;時,此;錫通益,有助益之意;極,準則、中心。

為「上世帝王之遺書」（《春秋說題辭》）。其所記都是與上古帝王相關的政治大事，關涉國計民生，故《荀子‧勸學》云：「書者，政事之紀也。」《史記‧自序》云：「《書》記先王之事，故長於政。」這也就確定了《尚書》的政治性質。而劉知幾亦云：「《尚書》者，七經之冠冕，百氏之襟袖。凡學者必先精此書，次覽群籍。」（《史通‧斷限》）其地位可想而知。

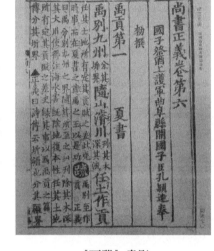

《爾雅》書影

　　就《尚書》的內容來看，可以說是上古「中央政府」政治檔的彙編。全書分四部分，共58篇，[2]《虞書》5篇，《夏書》4篇，《商書》17篇，《周書》32篇。這些文件，約可分為六類，即典（檔案）、謨（謀也，約如會議記錄）、訓（教誨）、誥（告諭）、誓（誓辭）、命（命令）。關於這部書的今古文真偽問題，清代以來爭得很厲害。因為很複雜，我們暫且不去管它。即便是偽書，千百年來它也是作為帝王的教科書存在的，它參與了中國文化的營建工程，並起到了積極的作用。就這一點而言，真偽問題的爭論是沒有多大意義的。可以說，《尚書》主要是供帝王學習的一部書，或者說只有帝王學習才有意義。因為它講的就是帝王治國的方法和思想。其中最重要的一篇是《洪範》，傳說這是大禹治水時上天所賜予的洛書。夏傳至商，商亡後箕子又傳給了周武王。這個故事說

2　《尚書》有今古文之異，這裏所述是《古文尚書》的篇數。文中論述也以《古文尚書》為據。

明，這是三代統治經驗的結晶，因而歷代備受重視，曾出現過多部研究專著。「洪」是大的意思，「範」就是法，這是治國大法，也可以說是「國家文化學」。這個大法包括九個方面，所以又叫「洪範九疇」。其涉及物質材用、君王行為、行政事務、天文曆法、君主權力、統治方法、占卜稽疑、休咎徵兆、生命現象等方面。雖說其中有神秘的一面，也有強調君權的一面，但對於民生的關注，在今天還是有一定參考價值的。

近世研究《尚書》的人，多看重它的史料意義。其實對於中國歷史而言，它的文化意義更為重大。子夏云：「《書》之論事也，昭昭然若日月之代明，離離然若星辰之錯行。」（《孔叢子‧論書第二》）從這個絕高的評價中，我們不難看出它在中國文化史上的地位。它的文化意義，至少可從四個方面來認識。

第一，《尚書》確立了聖王系統與王道政治典範。《尚書》記事自堯始，歷記舜、禹、湯到文王、周公，這是一個政治統治合法性的天命傳承系統，也是中國文化道統與治統統一的王道典範。堯最大的人文貢獻是一個「仁」字。《堯典》雖未記載堯多少「仁」的行事，而卻盛讚他「光被四表，格於上下」。又說他死後百姓「如喪考妣」，好像自己的父母死了，哭得非常傷心。從這中間也可以看出堯是一位愛民如子的聖王，在百姓中有絕高的威望。《大戴禮記‧五帝德》說堯「其仁如天」，這個「仁」字，正是對他德行的概括。孔子曰：「維天為大，維堯則之。」這也是指堯的「仁」。天以仁慈之心予萬物以生命，而堯對民眾猶如天施萬物以仁一樣，無所偏私，遍及群黎，所以有「其仁如天」之譽。舜的最大人文貢獻是一個「孝」字。他雖然遇上了愚頑的父親、凶狠的後娘，還有傲慢不恭的弟弟，卻能用自己的孝行感動全家；待即任帝位之後，又能把天下治理得井井有條。禹的最大人文貢獻是「勤儉」二字，他能「克勤於邦，克儉於家」（《大禹

謨》），為了平治洪水，櫛風沐雨十三年。成湯確立的形象是除暴安良。「有夏昏德，民墜塗炭」，他替天行道，推翻了夏政，「表正萬邦，纘禹舊服」（《仲虺之誥》），開闢中國歷史上用革命方式推翻暴政的先例。文王確立的形象是愛民如子。《周書・無逸》說他「徽柔懿恭，懷保小民，惠鮮鰥寡。自朝至於日中昃，不遑暇食，用咸和萬民」。這些聖王，他們共同的特點是：為天下蒼生，樂於奉獻，勤於工作，以天下為己任，全不顧個人得失。在他們心目中沒有「權力」二字，只有人民。這一個個高大的形象，站立在中國史冊的開卷之頁，給中國文化史一個光輝的開場，為萬世君主樹立了榜樣。可以說，《尚書》這部書就是專為君王編訂的，是王者的教材。

第二，《尚書》確立了以道德為核心的價值系統。上古聖王的言行中，無不高揚著一種道德精神，明確地體現出了以德為核心的價值觀念系統。堯舜禪讓，以德相傳；湯武革命，因德而興；桀紂暴虐，失德而亡。《周書・蔡仲之命》云：「皇天無親，唯德是輔。民心無常，唯惠之懷。」是否能得天下，關鍵在於德。老天爺是沒有私心的，誰有德就輔佐誰。老百姓是沒有恒定之心的，誰對他們好，他們就向著誰。要想保有天下，唯一的辦法就是保持你的德行。故《商書・咸有一德》云：「常厥德，保厥位。厥德匪常，九有以亡。」這個德就是要關心民生。《夏書・五子之歌》云：「民唯邦本，本固邦寧。」只有讓百姓安寧，國家才能鞏固。《商書・盤庚上》云：「汝克黜乃心，施實德於民，至於婚友，丕乃敢大言，汝有積德。」這是說只有老老實實地為民眾辦點好事，才算積德。《周書・多方》云：「民之所欲，天必從之。」失德便是失去民心。

第三，《尚書》展示了聖王的憂患意識。憂患的核心不是自己的王位，而是萬民安泰。如《夏書・五子之歌》云：「予臨兆民，懍乎若朽索之馭六馬，為人上者，奈何不敬？」統治天下，就像是爛繩子

駕奔馳的車馬，要特別小心才是。《周書‧康誥》：「若保赤子，唯民
其康乂。」要像保護嬰兒一樣地保護百姓。《周書‧泰誓上》：「天祐
下民，作之君，作之師，惟其克相上帝，寵綏四方。」天是為天下百
姓才設立君主的，君王的職責就是幫助上天來安定天下。百姓不安，
便是違背了天意，便會受到懲罰。因而作為君王，只有小心翼翼，敬
天保民，以天下為懷，才能長治久安。故《周書‧梓材》云：「欲至
於萬年，唯王子子孫孫永保民。」

第四，樹立了天下觀念和世界精神。《堯典》說堯王「光被四
表，格於上下……百姓昭明，協和萬邦。」這是說他的光芒照射天地
四方，普天之下都可以受到他的恩惠。《大禹謨》言禹：「奄有四海，
為天下君。」「朔南暨聲教，訖於四海。」禹盡有四海宇內，成為天
下的君主。從北方到南方，四海之內都遍及了天子的德教。在這裏，
天下觀念淡漠了民族，淡漠了國家。近代以來，西方國家入侵中國，
有志之士譴責國人「一盤散沙」，沒有民族觀念和國家觀念。聽上去
像是國民的劣根性。事實並不盡然，天下觀念實際上是一種世界精
神。民族觀念太強，會導致民族之間的利益衝突。《墨子‧兼愛》就
否定「愛國」說：「諸侯各愛其國不愛異國，故攻異國以利其國。天
下之亂物具此而已矣。」不難看出在古人的觀念中，「愛國」不利天
下的和平、穩定。而天下觀念則是超越了民族國家利益、以天下為一
體的一種大胸懷、大抱負。這是中華民族給予世界和平提供的一份寶
貴的精神財富。世界民族之間要想免除互相殘殺之害，非天下觀念與
共生、共存、共榮的精神不可。

這裏應該特別提出的是，《尚書》中所體現出的堯舜禹湯文武之
道。這個道與《周易》的天道是完全一致的。以前許多人錯誤地認
為，中國傳統是「專制政治」，因此呼籲要用西方的「民主」代替中
國的「專制」，「專制」成了中國傳統政治必然要被徹底否定的根據。

這其實是個錯覺。中國古代並沒有我們想像得那樣專制，形式上是皇帝一人統治著整個國家，其實在皇帝之上還有一個大家必須遵守的權力，這就是「道」，即堯舜禹湯文武之道，也就是天道。能履行這個道，就是「有道明君」；失去了這個道，就是「無道昏君」。皇帝一旦失去了這個道，就可以人人得而誅之，這就叫「替天行道」，湯武革命正是被這個傳統肯定下來的。這個「道」與「民主」的最大區別是，「道」重在「德」，是以和諧為旨歸的；「民主」則重在「利」，是以物質利益為目標的。道的出發點是天下，民主的出發點是自己。民主表決一件事情，每一個表決者都以自己的利益為出發點，最後少數服從多數。眾多人為了一個共同的利益努力，必然會增強一個群體的實力。因此「民主」可增強集團——包括國家、民族的競爭力，但卻無法消除國家、民族間因利益競爭而導致的衝突。中國之道雖不利於民族、國家物質競爭力的增強，但卻有利於天下和平，因為它講的不是集團的小利，而是天下的「大利」，對全天下人都有好處的莫過於「和平」，這和平只有在「中國之道」中才能獲得。

這樣，一個敬天崇德尊道保民的政治思想核心，便由此而確立。在中國兩千多年的歷史上，儘管君王們很難做到這一點，但這畢竟為帝王樹立了表率，確立了一個明確的個人奮鬥目標，作為一種理想追求，無疑是引領社會向善的力量。

《尚書》從漢代開始，就出現了古文與今文兩派。兩派的《尚書》文本不同，今文是28篇，古文後來失傳，晉時復出。今《十三經注疏》所收即復出的《古文尚書》。清儒閻若璩撰《古文尚書疏證》，定其為偽書。這一觀點被學術界採納，故《古文尚書》被廢棄，很少有人再提及。但這裏有兩個問題需要考慮，第一，即便《古文尚書》是偽書，它也是中國文化的結晶，它居於經的位置長達一千多年，對於中國文化史、思想史的影響，是任何一部非經部著作都不能比擬

的，對這一事實，我們絕不能忽略。第二，近期隨著出土文獻的增多，關於《古文尚書》的真偽又開始出現不同聲音，而且為《古文尚書》恢復名譽的呼聲越來越高，說明這一問題尚無定案。

3 《詩經》：無邪之思

《周易》講「天道」，《尚書》講「政事」，這些都是理性之物。而《詩經》唱出的則是「人情」，表達的是人間的真情。情感之物怎麼會進入經典系統，並成為千百年來傳統道德教育的教材呢？關鍵在於這情感是「先王之澤」的產物，它出於性情之正，發無邪之思，有著「正得失，動天地，感鬼神」的功能。

從性質上講，《詩經》是一部周代詩歌的總集，一共305篇。全書分《風》《雅》《頌》三部分。《周南》《召南》《邶》《鄘》《衛》《王》《鄭》《齊》《魏》《唐》《秦》《陳》《檜》《曹》《豳》十五國風，有詩160篇。《雅》分《大雅》《小雅》，有詩105篇。《頌》分《周》《魯》《商》三頌，有詩40篇。《商頌》5篇在最後，是附錄的商代遺詩。這些詩產生在不同地區，大略涉及山東、河南、山西、陝西，以及湖北、安徽北部等地。其作者很複雜，有民間歌手，也有文人；有帝王和朝廷重臣，也有宦官、走卒和農夫、農婦。然而時間跨度如此之長，地域分佈如此之廣，在人類物質財富尚不發達、靠竹簡艱難地記錄語言的時代（以每支竹簡25字計，《詩經》共39224字，需用竹簡

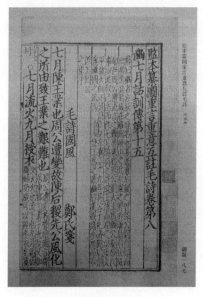

《詩經》書影

1569支。每支竹簡長二尺四寸，將1000多支竹簡相接，約得1200多米長。抄錄一部《詩經》所耗財力、人力之大，可想而知），如果沒有特殊的原因，有誰會為一部「純文學」的詩歌集子，為簡單的情感抒寫，耗費如此人力、財力，進行一項對國計民生沒有重大意義的工程？

因而可以說，《詩經》一開始就不是作為文學啟動的。從《詩經》的產生而言，雖然它的每一篇其本質都是文學的，然而它的結集，它的權威性與神聖性的出現，它的廣泛影響，卻是與周代禮樂制度密切聯繫的。在這種制度中，詩承擔著一定的任務，其中最主要的就是反饋政治信息的任務。據有關史料記載，周代有「采詩」、「獻詩」兩種制度。「采詩」主要是採集民間的詩歌。每年在固定的時間內，有專人到各地採集歌謠，並把採集到的詩歌集中上報到周王朝中央管理音樂的官員那裏，經過王朝樂師的整理（樂譜和歌詞大約都有修改），再獻給天子，目的是為了「觀民風，知得失，自考正」。「獻詩」主要是貴族中的一種民主性行為。《雅》詩中有不少詩便為朝廷官員的「獻詩」，即《國語‧周語上》所說的：「故者天子聽政，使公卿至於列士獻詩。」采詩和獻詩可以說是當時開明政治的反映，目的是下情上達，保證政治的開明性與政策的合理性。另外，可施於禮儀。無論是採來還是獻來的詩歌，最終都要譜成曲子配合著「周禮」的需要進行演唱或演奏。有一部分則施於禮儀，即在什麼樣的場合演奏什麼樣的詩，這是不能含糊的。也正是為了禮樂的需要，周人才把詩歌編訂成書，由周王朝頒佈於各諸侯國，如古人所說的「禮樂征伐，自天子出」。

《詩經》的編輯可能進行過多次，最後一次據說由孔子整理編定。孔子編《詩》實際上承擔著兩項文化使命，一是「文化復興」，二是「文化傳承」。周代禮樂文明是繼承夏商文明而來的一種最先進的文明制度。這種文明的核心價值是道德，核心精神則是和諧。在這

種文明的支配下，周代社會表現出一種盛世的氣象。孔子曾讚歎周代的文明制度：「鬱鬱乎文哉！」可是這個文化傳統到了春秋時代，遇到了斷裂的危機。危機主要來自兩個方面，一個是來自華夏集團內部的，在統治集團中為了權力、享樂，相互爭鬥，因此導致了禮樂文明制度的破壞；另一個是來自外部的，周邊的戎狄民族不斷對諸夏進行侵擾，大有以夷代夏之勢。這兩種力量，內外交加，使華夏民族經過千餘年發展才形成的文明成果面臨危機。如何使華夏優秀的文化傳統得到延續，便成為孔子面臨的時代課題。而《詩經》是周代禮樂文明即華夏傳統文化最可靠的載體，因而孔子要通過刪述《詩》《書》，建立起經典文化體系和文化傳統。

相傳是子夏所作的《詩序》，提出了一種非常高妙的理論：「治世之音安以樂，其政和；亂世之音怨以怒，其政乖；亡國之音哀以思，其民困。」《詩經》中既有治世之音，也有衰世之音。古人把《詩經》分為正、變兩部分，「正經」是盛世的產物，它體現的是盛世的氣象，故而主旋律是「安以樂」。如《周頌》《大雅》的前十八篇、《小雅》的前十六篇，以及風詩的《周南》《召南》，就是「安以樂」的詩。「變經」則是「王道衰，禮義廢，政教失」時代的產物，其中自然有「怨怒」，也有「哀思」。但這部分詩卻能「發乎情，止乎禮義」。「發乎情，民之性也。止乎禮義，先王之澤也。」情是一種生命的表徵，情動於中，必然發為聲音，這是人性使然。但《詩經》的情都有節制，能「止乎禮義」，這便是「先王之澤」的作用。所謂「先王之澤」，即傳統道德觀念與價值判斷。百姓由於受到先王的道德觀念制約，儘管身遭衰世，有怨怒之情，卻明白是非，懂得廉恥，違背禮義的事情絕對不幹。比如，「人而無儀，不死何為」、「人而無禮，胡不遄死」（《相鼠》），「百爾君子，不知德行。不忮不求，何用不臧」（《雄雉》）等。故在言論與行為上，都能堅守禮義。這樣，《詩

經》便成了「王澤」的反映。王澤盡了，詩也就再不入選了。「王
澤」就決定了一部《詩經》的品格。故孔子曰：「《詩》三百，一言以
蔽之，曰：思無邪。」（《為政》）「邪」為邪曲、邪正之邪，沒有邪曲
之思，便是出於性情之正，便能合於禮義規範。同時，讀者若能以無
邪之心去讀《詩經》，便可獲得教化。

　　簡言之，《詩經》具有多重意義。第一，它是先民真情的宣洩，
真實地表達了作者在現實政治及社會生活中的種種感受。如果是一份
社會調查報告，還有可能作假，而感情無法作假。故而這是在上者獲
得下層信息的最可靠的途徑，為政者可根據這些詩反映的情況，「知
得失，自考正」，修正政策法規。第二，《詩經》是先王之澤的產物，
其中有美刺善惡的是非評斷，故而具有「經夫婦，成孝敬，厚人倫，
美教化，移風俗」的教化意義。第三，因為它是周代禮樂文明制度的
產物，它體現著「上以風化下，下以風刺上。主文而譎諫，言之者無
罪，聞之者足以戒」的民主政治制度，因而可供後世為政者效法。第
四，《詩經》所反映的是周王朝由盛而衰的過程，是這一個歷史過程
中先民喜怒哀樂情感的展現。此間有對盛世的頌歌，也有對衰世的怨
憤，還有對戰亂劫殺違背道義行為的譴責，以及對走向滅亡的哀傷。
把這些詩放在一個平面上，就會領悟到：「勤民恤功，昭事上帝，則
受頌聲，弘福如彼；若違而弗用，則被劫殺，大禍如此。吉凶之所
由，憂娛之萌漸，昭昭在斯，足作後王之鑒，於是止矣。」（鄭玄
《詩譜序》）因而這無疑也是一部「史鑒」。也正因如此，它在中國歷
史上才起到純文學絕對無法起到的作用，千百年來，不斷地被闡釋，
生發著新的文化意義。

　　總之，《易》言天理，《書》言政事，《詩》言人情，三者構成
「經」的核心，作為一種思想與精神，滲入不同階層的思想意識與行
為規則之中。

　　《詩經》在漢代分為今文與古文兩派。漢代傳《詩》的主要有四家，齊、韓、魯三家是今文，《毛詩》屬古文。漢以後今文三家《詩》說漸亡，《毛詩》獨傳。在《詩經》研究史上有幾部里程碑式的著作，一是《毛詩傳箋》，作者鄭玄，闡揚毛亨傳的興喻意義，加大了《詩經》的教化功能與人倫道德內涵。二是孔穎達的《毛詩正義》，總結了魏晉至唐的《詩經》研究成果。欲知此前《詩經》研究情況，非此書不能。三是朱熹的《詩經集傳》。朱熹廢除《詩序》之說，改孔穎達之繁而為簡，改興喻為義理，在《詩經》學史上產生了很大影響。四是清儒的考據著作，如馬瑞辰《毛詩傳箋通釋》、陳奐《詩毛氏傳疏》、王先謙《詩三家義集疏》等，從文獻考據的角度，對《詩經》文本做了卓越的文字訓詁工作，解決了原初存在的不少疑難問題，為20世紀的《詩經》研究打下了很好的基礎。

第二節　「三禮」與《春秋》

　　與《易》《書》《詩》不同，「三禮」與《春秋》是關於行為規則與行為評斷的。故《莊子・天下》篇云：「《禮》以道行，《春秋》以道名分。」「三禮」指《周禮》《儀禮》《禮記》，這是關於周代禮制的三部書。《春秋》有編年史大綱的性質，解釋《春秋》的有三部書，即《左傳》《穀梁傳》《公羊傳》，被稱作「春秋三傳」。這六部書都被列入了「十三經」中。但如果納入「五經」序列，數字顯然就不止「五」了。於是章太炎先生說：「六經須作六類經書解，非六部之經書也。」（《經學略說》）這並非沒有道理。

1 「三禮」：王者之制

　　中國素稱禮儀之邦。禮儀之邦的起點，便在周代。周代是一個禮

樂文明制度興盛的時代，記錄這種制度的有三部書，就是《周禮》《儀禮》與《禮記》。這三部書作為禮樂文化的理論形態與禮制的淵藪，確立了兩千年來中國社會以禮為核心的組織形態，對中國歷史產生了極大影響。《說文》云：「禮，履也。」《釋名》云：「禮，體也，得其事體也。」《禮記·樂記》云：「禮也者，理之不可易者也。」合而言之，禮就是治身治家治國之主體，是要履而行之有道，是不可更易之理。故《左傳·隱公十一年》云：「禮，經國家，定社稷，序民人，利後嗣者也。」《孝經》

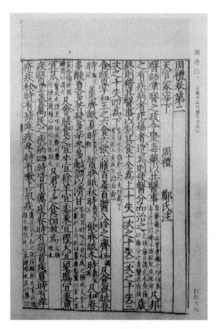

《周禮》書影

云：「安上治民，莫善於禮。」今傳的這三部關於周朝禮治的書，最有條理的是《周禮》，最古奧的是《儀禮》，最雜亂的是《禮記》。

　　《周禮》又稱《周官》，是一部關於周代政治制度的書。這部書成於何時，一直存在著分歧。或以為是周初周公制禮作樂的產物，或以為西周，或以為戰國，甚至有人以為是漢代人的作品。但大多數學者承認它是一部先秦古籍，是唯一的一部系統記述周代政治、經濟制度的典籍。雖有些地方與其他典籍記載有些出入，但大多為西周舊制還是可以肯定的。

　　《周禮》全書分六個部分，分別由六官區分。六官即天官、地官、春官、夏官、秋官、冬官。這個劃分顯然是在天人合一的觀念下產生的。天道為乾，乾德剛健，為執掌朝政者應當效法，因此天官主管國家政治大事，有些像六部之長的吏部，但權力要大，如同後世的

宰相，其下屬官有62種。地道柔順，養育萬物，是執掌民政的官員應
當效法的，因此地官主管土地和人口，相當於後來的戶部，屬官78
種。春天「陽光布德澤，萬物生光輝」，給人間以仁愛、溫暖，是執
掌禮樂教化的官員應當效法的，因此春官主管祭祀和禮儀，相當於後
來的禮部，屬官69種。夏天萬物齊茂，故古人言「夏整齊萬物」，是
執掌武事的官員應當效法的，因此夏官主管軍政，相當於兵部，屬官
69種。秋天有蕭殺之氣，凋零草木，無有偏阿，是掌刑的官當效法
的，因此秋官主管刑法，相當於刑部，屬官66種。冬天為收藏的季
節，藏以富家，是主百工之官應當效法的，因此冬官主管百工及土木
建築，相當於工部。因《冬官》已佚，詳情難知，現在的《冬官》部
分，是拿內容相近的另一篇古籍《考工記》代替的。除《冬官》外，
每一官的開首都冠以「惟王建國，辨方正位，體國經野，設官分職，
以為民極」數語，明確地表示了這部書的性質。從六部分司來看，似
乎直接影響到了隋唐以降的吏、戶、禮、兵、刑、工六部的職官設
置。這個統治系統十分完備，每一項職守任務都很具體明確。現在人
讀這部書，似乎覺得有些繁瑣，因為其中的制度離我們今天有些遙遠
了，不好理解。有些官職，如專毀壞惡鳴之鳥巢穴的柞氏、專管禁
止重大活動中大聲喧嘩的銜枚氏、專管射夭鳥（不祥之鳥）的庭氏、
專管清除青蛙蝦蟆之類的蟈氏、專管執鞭開道的狼條氏等，在今天看
來很不必要，可是在《周禮》中卻細分其職，不厭其煩。但在不厭其
煩中，也披露了古代社會生活方方面面的信息。如司烜氏「掌以夫遂
取明火於日」，反映了兩千多年前發明用鏡取火的技術；翦氏「掌除
蠹物」、「以莽草熏之」，反映了以香草除蠹蟲的技術；服不氏「掌養
猛獸而擾之」，反映了馴獸技術等。

　　值得我們注意的是，《周禮》在官職職責的記述中，體現出對民
生的極大關心。如《秋官》中，萍氏專管水禁和飲酒情況，因為怕飲

酒過多出問題，比如掉到河裏；禁暴氏是管理治安，對付地痞無賴欺壓百姓的。《地官》中，媒氏是專管萬民婚配的。在仲春之月，讓沒有婚配的男男女女集會在一起，讓他們自由尋找對象。司氏專門管理市場，要求物品根據類別分區陳列，以便平議物價；禁止奢侈精巧之物的出售，以穩定一般物品的行情；招致商賈，保證貨物流通；防止偽劣產品與欺詐行為，去除盜賊。草人掌管改良土壤，根據地質種植相宜的作物。赤色而堅硬的土用牛的骨汁或灰改良，赤色而不很堅硬的用羊的骨汁或灰，乾涸的澤地用鹿的骨汁或灰，鹽鹼地用貆子的，沙地用狐狸的……這些分工，幾乎都是為民生考慮的。這與《尚書》所反映的思想與文化精神是完全一致的，體現了中國原始政治文化的性質。

在對民生的關注中，我們特別留意到《周禮》中的生態保護意識。如《地官》中，有山虞、澤虞、跡人之類的職事。山虞掌管山林政令，澤虞掌管水澤政令，其中都提到了「以時入之」的問題，「以時」就是按季節。為什麼進山林水澤還要考慮季節呢？就是怕亂取材物，破壞了生態，導致自然再生能力的下降。跡人是掌田獵政令的，其中明確提出了「禁麛卵者，與其毒矢射者」，禁止捕殺幼鹿和拾取鳥卵，這也是為了保護自然的再生能力。而不許用毒箭射禽獸，則是從心術上考慮的，因其「賊物之心」，而且這樣殺傷太大。像《天官》中的獸人、獻（漁）人、鱉人，都是負責水產與獵物的，都提到了「以時」的問題。這體現了我們祖先的智慧。對今天來說，它應該仍有啟發意義。

《儀禮》與《周禮》不同，它不是講行政制度，而是講生活禮儀。從實際意義上講，《儀禮》更符合「禮」的本義。《釋名》云：「儀，宜也，得其事宜也。」這是說「儀」是指具體行事中非常得當的行為表現。這種「得當的行為」非常重要，因為對於維護社會秩序

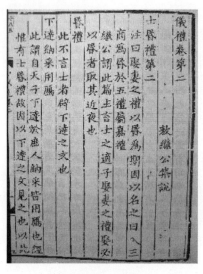

《儀禮》書影

及尊卑貴賤長幼之別意義重大，因此每個王朝建立，都制訂一套禮儀。《儀禮》所記錄的則是周代的禮儀。先秦時就叫作《禮》，漢代稱作《禮經》或《士禮》。現存十七篇，內容涉及以下七個方面：

第一，關於成年禮，如《士冠禮》。古代貴族子弟到二十歲，要舉行加冠禮，表示已經成人，成為本族的正式成員。後來把二十歲左右叫「弱冠」，就是指初加冠，體猶壯。

第二，關於婚禮，如《士昏禮》。指的是從納采到婚後廟見的一系列禮儀。

第三，關於交往之禮，如《士相見禮》《聘禮》《覲禮》。《士相見禮》是士君子第一次相見的禮節儀式，《聘禮》是國際交往中的種種禮節儀式，《覲禮》是諸侯朝見天子的禮節。

第四，關於宴飲之禮，如《鄉飲酒禮》《燕禮》《公食大夫禮》。《鄉飲酒禮》是基層行政組織舉辦的以敬老為中心的宴會儀式，《燕禮》是君臣宴會的禮節儀式，《公食大夫禮》是國君舉行的招待外國使臣的禮節儀式。

第五，關於射禮，如《鄉射禮》《大射禮》。前者是基層舉辦的射箭比賽大會的禮節儀式，後者是國君主持下的大射比賽禮儀。

第六，關於喪禮，如《喪服》《士喪禮》《既夕禮》《士虞禮》。《喪服》是關於喪禮服飾的。《士喪禮》與《既夕禮》本當為一篇，因篇幅較長分成兩篇，述士喪父母辦喪事的全過程。《士虞禮》是父母埋葬後的安魂禮。

第七，關於祭祀之禮，如《特牲饋食禮》《少牢饋食禮》《有司徹》。《特牲饋食禮》記述士在家廟中舉行祭祀的禮儀。《少牢饋食禮》與《有司徹》本為一篇，記述大夫在家廟中舉行祭祀的禮儀。

《儀禮》記述的每一項儀式都很煩瑣。如《士相見禮》記士之間第一次見面，記到了不同季節要拿的不同禮物；初次上門，客人要如何說，主人要如何答，客人要再如何謙虛，主人要再如何謙讓，反覆五個回合，然後才是「出迎於門外，再拜。賓答再拜。主人揖，入門右。賓奉摯，入門左。主人再拜受，賓再拜送摯，出」。實際操作起來，這確實有些麻煩，但卻反映其間的慎重與嚴肅。

《儀禮》中所記載的煩瑣禮節雖然在生活中早已無存，但這些禮的基本內容，在兩千多年的歷史上卻部分地得到了延續和發展。如婚禮，《儀禮・士昏禮》提到了婚姻過程中的六種禮儀，即納采、問名、納吉、納徵、告期、親迎。這一禮俗影響了後世，《唐律》《明律》中即有類似的規定。明沈周有詩云：「紅車綠幰及春明，六禮周時汝好行。銅鏡試妝花髻拙，布衣隨嫁竹箱輕。」（《送甥女歸徐氏》）現在一些農村仍有「六禮」之俗。又如，士君子初次相見要有見面禮，在現在的習俗中也還普遍存在。像《喪服》中的五服制度，一直在延續，出了五服則不算親屬。鄉飲酒禮作為基層的一種敬老活動，也一直延續到清代後期。

《儀禮》對重建現代禮儀具有一定的參考價值。如《士昏禮》云：「女子許嫁，笄而醴之，稱字。……祖廟未毀，教於公宮三月。祖廟已毀，則教於宗室。」鄭玄注：「教以婦德、婦言、婦容、婦功。宗室，大宗之家。」這是說古代貴族女子在出嫁前，要接受三個月的專門教育。教育的內容包括道德行為、語言辭令、舉止儀容、績織女功等，這對於女性素質的提高是很有意義的。女性的素質關係到對下一代的教育以及整個民族素質，因此周代的這種制度非常值得我

們思考。又如《鄉射禮》中，記述比賽運動，它除了有嚴格的比賽規則外，評價射手不是只看能否射中，還要看其是否合於禮樂。比賽的目的不是求勝，而是觀道德。《禮記・射義》解釋射禮云：「故射者，進退周還必中禮。內志正，外體直，然後持弓矢審固。持弓矢審固，然後可以言中，此可以觀德行矣。」又云：「射者，仁之道也。射求正諸己，己正而後發，發而不中，則不怨勝己者，反求諸己而已矣。」這樣的比賽，恐怕在世界其他地方都很難找到，而它的意義也是任何比賽都不能比擬的。

「三禮」中最為龐雜的是《禮記》。《說文》云：「記，疏也。」段玉裁注：「謂分疏而識之也。」《禮記》的取名雖說有對古禮「分疏而識」的意思，其實雜匯了先秦至漢的有關禮的文字。在西漢，流傳的關於說禮的文字據說有兩百多篇，內容十分龐雜。戴德、戴聖叔侄二人，都是研究禮學的專家，他們選編了不同的《禮記》本子，人稱叔叔戴德編的為《大戴禮記》，侄兒戴聖編的為《小戴禮記》。東漢末大儒鄭玄為《小戴禮記》作了注，一下子抬高了《小戴禮記》的地位。現在所說的《禮記》多是「小戴」的，共四十九篇。

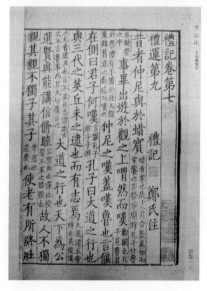

《禮記》書影

《禮記》的內容，大約有以下幾個方面：

第一，解釋《儀禮》或與《儀禮》有關的文字，如《冠義》《昏義》《鄉飲酒義》等。有些雖非直接解釋《儀禮》的意義，但仍是圍繞《儀禮》記述的，有點類似「外傳」的性質，如《檀弓》《曾子問》《喪服小

記》等，都是關於喪服喪事的。這類文章占到了十二篇，這可能與儒家重視喪禮有關。

第二，記述各種禮制與禮節的文字，如《王制》《禮器》《祭法》《曲禮》《內則》《少儀》《月令》等。《王制》像一篇完整的施政綱領，《月令》像是古代政令與農事活動的記錄，《內則》言家庭禮節，《少儀》記相見、適喪、飲酒等種種禮節，可以補《儀禮》之不足。

第三，雜記孔子及其弟子言論的文字，如《坊記》《表記》《緇衣》《孔子閒居》等。這些可能是根據當時傳聞記述的，也不排除假託的可能。

第四，專題論文，如《禮運》《學記》《經解》《樂記》《大學》《中庸》等。這些是一組理論性很強的文章，有些論述相當精彩。可以反映戰國時儒家的理想與理論水準。

在這四組文章中，從禮的角度看，最應該注意的是第一組，它是《禮記》的主體部分。其中有些部分是從理論上闡釋禮的，這對於我們認識禮的意義很有幫助。如關於冠禮，《冠義》釋云：

> 凡人之所以為人者，禮義也。禮義之始，在於正容體，齊顏色，順辭令。容體正，顏色齊，辭令順，而後禮義備，以正君臣，親父子，和長幼。君臣正，父子親，長幼和，而後禮義立。故冠而後服備，服備而後容體正，顏色齊，辭令順。故曰：冠者，禮之始也。

這就是說，冠禮的意義並不在於給一名成年男子加了一頂帽，重要的是它是「容體正」的說明，是禮的開端，是與君臣正、父子親、長幼和的天下秩序相聯繫的。由這一意義引發，君子正冠，就不是小事了。所以孔子的弟子子路在衛國內亂時，被人打歪了帽子。在生死

之機，還要堅持「君子死，冠不免」的原則，最終「結纓而死」。關
於婚禮，《昏義》云：

> 禮之大體，而所以成男女之別，而立夫婦之義也。男女有別而
> 後夫婦有義，夫婦有義而後父子有親，父子有親而後君臣有
> 正。故曰：昏禮者，禮之本也。

這是說禮是從夫婦之義開始的，由夫婦而父子，而君臣，以次展
開，人間的倫理便由此而建立起來，因此婚禮可以說是禮之大本。關
於鄉飲酒，《禮記‧射義》云：「鄉飲酒者，所以明長幼之序也。」
《鄉飲酒義》則更明確地說：

> 鄉飲酒之禮，六十者坐，五十者立侍以聽政役，所以明尊長
> 也。六十者三豆，七十者四豆，八十者五豆，九十者六豆，所
> 以明養老也。民知尊長養老，而後乃能入孝悌。民入孝悌，出
> 尊長養老，而後成教，成教而後國可安也。

這裏所強調的則是綱常之外的又一種倫理次序。再如關於燕禮，
《燕義》云：「燕禮者，所以明君臣之義也。」關於祭祀，《祭法》
云：「夫聖王之制祭祀也：法施於民，則祀之；以死勤事，則祀之；
以勞定國，則祀之；能御大菑，則祀之；能捍大患，則祀之。」關於
喪禮，《三年問》云：「凡生天地之間者，有血氣之屬，必有知；有知
之屬，莫不知愛其類……有血氣之屬者，莫知於人。故人於其親也，
至死不窮。」

由此可以看出，禮乃天地間不可更易之理，是與治國安民聯繫在
一起的。從表面上看，禮只是行為規則，而其本質，則是與道德緊密

相連的。《祭義》概括禮的精神：

> 天下之禮，致反始也，致鬼神也，致和用也，致義也，致讓也。

鄭玄對此作了意義上的闡釋：

> 致反始，以厚其本也；致鬼神，以尊上也；致物用，以立民紀
> 也；致義，則上下不悖逆矣；致讓，以去爭也。

禮的內在精神，在歷史中不斷流失，只有形式部分殘存，即春秋
時人所云：「此儀也，非禮也。」修復禮的道德精神，使儀的外在形
式與禮的內在精神統一起來，這正是孔子一生所追求的。

「三禮」與其他經書不一樣，不只是理論上講述道，或是由學者
去開發其微言大義，而是直接關係到實踐的，因此，「禮學」在歷史上
是一種實踐之學。如何將「三禮」的內容落實於生活實踐中，是歷代
研究「三禮」的學者多所考慮的問題。漢代王莽改制，以《周禮》為
實踐模式。王安石變法，著《周官新義》，以助新法推行。清儒對《周
禮》用功最勤的是孫詒讓，他的《周禮正義》搜輯古今諸儒解詁，最
為繁富，其旨不在治經，而在治國。他在光緒二十七年（1901年）起
草的《變法條議》中，即聲稱「以《周禮》為綱，西法為目」。在今
天來看，將傳統禮儀與現代文明對接，仍然是一個時代課題。

2 《春秋》：禮定褒貶

禮在周代既作為制度與生活規則存在，也作為一種價值標準對社
會上發生的種種行為進行評斷。《春秋》其實就是以禮來評斷歷史的一
部史書。《春秋》相傳為孔子所作，孔子將自己對於歷史的褒貶寓於行

文之中，故孟子云：「孔子成《春秋》，而亂臣賊子懼。」這一說法，後世的學者多有懷疑。但從文化史的角度來講，不管此書是否孔子所作，書中不管是否真寓有褒貶，都已不十分重要，因為歷史已經認定這是一部經過孔子親裁而又寓有褒貶的聖典，並在這個意義上不斷對其進行闡釋，由此在歷史上產生了極大的影響，以致在漢代出現了以《春秋》斷事的現象（參見趙翼《廿二史札記‧漢時以經義斷事》）。

　　《春秋》是春秋二百四十年歷史的大綱，是孔子修訂的「近代史教材」。之所以名「春秋」，這是沿用魯國史記的舊名。當時各國都有史記，晉國的叫《乘》，楚國的叫《檮杌》，魯國的叫《春秋》。古代重大的活動，如祭祀、朝聘等多在春秋兩季舉行，故舉春秋以代表一年四季。關於《春秋》的意義，說得最為透徹的是司馬遷，他說：「夫《春秋》，上明三王之道，下辨人事之紀，別嫌疑，明是非，定

《春秋》書影

猶豫，善善惡惡，賢賢賤不肖，存亡國，繼絕世，補敝起廢，王道之大者也……撥亂世反之正，莫近於《春秋》。春秋文成數萬，其指數千。萬物之散聚皆在《春秋》。《春秋》之中，弒君三十六，亡國五十二，諸侯奔走不得保其社稷者不可勝數。察其所以，皆失其本已。故《易》曰：『失之毫釐，差以千里。』故曰：『臣弒君，子弒父，非一旦一夕之故也，其漸久矣。』故有國者不可以不知《春秋》，前有讒而弗見，後有賊而不知。為人臣者不可以不知《春秋》，守經事而不知其宜，遭變事而不知其權。為人君父而不通於《春秋》之義

者，必蒙首惡之名。為人臣子而不通於《春秋》之義者，必陷篡弒之
誅，死罪之名。其實皆以為善，為之不知其義，被之空言而不敢辭。
夫不通禮義之旨，至於君不君，臣不臣，父不父，子不子。夫君不君
則犯，臣不臣則誅，父不父則無道，子不子則不孝。此四行者，天下
之大過也。以天下之大過予之，則受而弗敢辭。故《春秋》者，禮義
之大宗也。」

　　《春秋》何以有如此大的意義，竟至於為君、為臣、為父、為子
皆不可不讀，而且被譽為「禮義之大宗」？如果說《春秋》像疑古學
者所說的「斷爛朝報」、「流水帳簿」，這就不好理解了。原因是《春
秋》寄寓了孔子的憂世深心。雖然《詩》《書》《易》《禮》都經過孔
子的整理，但那都是整理文獻，不可更其意。而《春秋》則是孔子有
感於「世衰道微，邪說暴行有作」（《孟子・滕文公下》）而著述的。
他的目的就是要正名分，別嫌疑，明是非，以禮為價值判斷，給歷史
以褒貶判定。因而《春秋》中也投入了孔子更多的心血。這一點司馬
遷在《孔子世家》有詳細的說明：

　　　子曰：「弗乎弗乎！君子病沒世而名不稱焉。吾道不行矣，吾
　　何以自見於後世哉！」乃因史記作《春秋》，上至隱公，下訖
　　哀公十四年，十二公。據魯，親周，故殷，運之三代。約其文
　　辭而指博。故吳楚之君自稱王，而《春秋》貶之曰「子」；踐
　　土之會實召周天子，而《春秋》諱之曰「天王狩於河陽」：推
　　此類以繩當世。貶損之義，後有王者舉而開之。《春秋》之義
　　行，則天下亂臣賊子懼焉。孔子在位聽訟，文辭有可與人共
　　者，弗獨有也。至於為《春秋》，筆則筆，削則削，子夏之徒
　　不能贊一辭。弟子受《春秋》，孔子曰：「後世知丘者以《春
　　秋》，而罪丘者亦以《春秋》。」

　　從司馬遷的舉例中，即可看出《春秋》筆法的微妙之處。這種筆法，遍及全書。如《春秋》中凡是臣殺君、子殺父，一律用「弒」字。「弒」是一個犯上作亂的專用詞，《左傳‧宣公十八年》云：「凡自內虐其君曰弒」，表示這是一種非道義的行為。大夫若專祿以周旋，雖無危國害主之實，皆書曰「叛」。又如鳴鐘鼓以聲其過曰「伐」，寢鐘鼓以入其境曰「侵」，掩其不備曰「襲」。褒貶之義皆寓於敘事之中。但這種褒貶，顯然又是以禮為價值標準的，所以司馬遷云：「《春秋》者，禮義之大宗也。」簡言之，《春秋》大義用六個字可概括：復禮、正名、尊王。所謂「復禮」，就是要修復周代的禮制，君君、臣臣、父父、子子，各歸復位，各修其職，不然則亂。禮就是價值判斷，所以《左氏春秋》每以「禮也」、「非禮」評斷是非（如《桓公十四年》：「春會於曹，曹人致餼，禮也。」《僖公五年》：「夏會於葵丘，尋盟且修好，禮也。」《襄公九年》：「毛伯衛來求金，非禮也。」《宣公八年》：「襄仲卒而繹，非禮也。」）；公、穀《春秋》，每以非禮定褒貶。所謂「正名」，就是正名分，反對無禮的僭越行為。吳楚私稱王，則復其位曰「子」，王死曰「崩」，諸侯死曰「薨」，互不相亂。所謂「尊王」，其實是要維護周王的尊嚴，維護一統。《春秋》每言「春王正月」，《公羊傳‧隱公元年》云：「何言乎王正月？大一統也。」「大」在這裏是重視、尊重的意思。徐彥疏云：「王者受命，制正月以統天下，令萬物無不一一皆奉之以為始，故言大一統也。」《漢書‧王吉傳》云：「《春秋》所以大一統者，六合同風，九州共貫也。」這反映了對周天子一統政局的維護。

　　對於《春秋》作出詳細解釋的是《公羊傳》《穀梁傳》和《左傳》。《公羊傳》傳說是子夏的學生公羊高所著；《穀梁傳》傳說是穀梁赤所著，相傳他也是子夏的學生；《左傳》傳為魯君子左丘明作。《說文》：「專，紡專。」甲骨文專作，像手轉動紡線，引申有轉動

相傳的意思。《釋名》云：「傳，傳也，以傳示後人也。」古代把傳經之書叫「傳」，取意正在此。《公羊傳》主於微言，《穀梁傳》主於大義，《左傳》主於歷史。據司馬遷云：「魯君子左丘明，懼弟子人人異端，各安其意，失其真，故因孔子史記，具論其語，成《左氏春秋》。」這樣「春秋三傳」便有了各自的特色。如《春秋・隱公元年》書：「鄭伯克段於鄢。」《左傳》完整地記述了這一事件的過程，最後說：「段不弟，故不言弟；如二君，故曰克；稱鄭伯，譏失教也；謂之鄭志，不言出奔，難之也。」《公羊傳》云：「克之者何？殺之也。殺之則曷為謂之克？大鄭伯之惡也。曷為大鄭伯之惡？母欲立之，已殺之，如勿與而已矣。段者何？鄭伯之弟也。何以不稱弟？當國也。其地何？當國也。」《穀梁傳》云：「克者何？能也。何能也？能殺也。何以不言殺？見段之有徒眾也。段，鄭伯弟也。何以知其為弟也？殺世子母弟目君，以其目君，知其為弟也。段，弟也，而弗謂弟，公子也，而弗謂公子，貶之也。段失子弟之道矣，賤段而甚鄭伯也。何甚乎鄭伯？甚鄭伯之處心積慮，成於殺也。於鄢，遠也，猶曰取之其母之懷中而殺之云爾，甚之也。然則為鄭伯者宜奈何？緩追逸賊，親親之道也。」《左傳》重點講述的是這個事件本身，《公羊傳》重點闡發「克」字中隱存的微妙之義，《穀梁傳》則重點譴責鄭莊公處心積慮陷害兄弟違背親親之道的行為。

　　再如《春秋・莊公二十三年》：「夏，公如齊觀社。」《左傳》云：「夏，公如齊觀社，非禮也。曹劌諫曰：『不可。夫禮，所以整民也。故會以訓上下之則，制財用之節；朝以正班爵之義，帥長幼之序；征伐以討其不然。諸侯有王，王有巡守，以大習之。非是，君不舉矣。君舉必書。書而不法，後嗣何觀？』」《公羊傳》云：「何以書？譏。何譏爾？諸侯越竟觀社，非禮也。」《穀梁傳》云：「常事曰視，非常曰觀。觀，無事之辭也。以是為屍女也。無事不出竟。」同

樣認為非禮，左氏舉事以明，公羊舉書以明，穀梁舉行以明。

　　這樣，三書從不同的角度給《春秋》以闡釋，極大地豐富了《春秋》的經典內涵，由此而發展為「春秋學」，對中國文化產生了極大的影響。

思考題

　　1.「五經」指哪幾部書？

　　2.簡談「五經」對於中國歷史的意義。

　　3.《周易》是一部什麼書？簡述其基本內容、性質。

　　4.《周易》思想對你有何啟發？

　　5.《尚書》是一部什麼書？

　　6.《尚書》的文化意義何在？

　　7.堯舜禹湯文武周公之道，在歷史上有何作用？

　　8.《詩經》是一部什麼書？它與周代禮樂制度有何關係？

　　9.對於《詩序》所談的詩關政治盛衰的理論，你是如何認識的？

　　10.「三禮」對於現代禮儀重建有無意義？

參考書目

〔漢〕何休：《春秋公羊傳注疏》（十三經標點本），北京，北京大學
　　　出版社，1999。

〔晉〕范甯：《春秋穀梁傳注疏》（十三經標點本），北京，北京大學
　　　出版社，1999。

〔唐〕孔穎達：《周易正義》（十三經標點本），北京，北京大學出版
　　　社，1999。

〔唐〕孔穎達：《毛詩正義》（十三經標點本），北京，北京大學出版
　　　社，1999。

〔宋〕朱熹：《周易本義》（宋元人注四書五經本），北京，中國書
　　　店，1985。

〔宋〕蔡沈：《書經集傳》，上海，上海古籍出版社，1987。

〔宋〕朱熹：《詩經集傳》，上海，上海古籍出版社，1987。

〔元〕陳澔：《禮記集說》（四書五經本），北京，中國書店，1994。

〔清〕孫星衍：《尚書今古文注疏》，北京，中華書局，1986。

高亨：《周易古經今注》，北京，中華書局，1984。

高亨：《周易大傳今注》，濟南，齊魯書社，1979。

朱伯崑：《易學基礎教程》，廣州，廣州出版社，1993。

楊筠如：《尚書核詁》，臺北，學海出版社，1978。

陳夢家：《尚書通論》，北京，中華書局，1985。

程俊英、蔣見元：《詩經注析》，北京，中華書局，1991。

林尹：《周禮今注今譯》，北京，書目文獻出版社，1985。

李景林等：《儀禮譯注》，長春，吉林文史出版社，1995。

楊伯峻：《春秋左傳注》，北京，中華書局，1981。

第四章
四書

　　「四書」指《大學》《中庸》《論語》《孟子》四部先秦典籍，這是南宋朱熹為重新建立意識形態話語系統而確立的新的經典體系。朱熹是一位非常有眼光的人，他對「四書」的選定即體現了他高遠的見識。因為這是一個便於學習而且非常有利於心性修養的經典系統。朱熹自言：「讀書且從易曉易解處去讀，如《大學》《中庸》《語》《孟》四書，道理粲然，人只是不去看。若理會得此四書，何書不可讀？何理不可究？何事不可處？」（《朱子語類》卷十四）就「五經」而言，其所言在事、在理、在情、在禮，而《四書》則是聖賢發自心靈的聲音。《元史·儒學傳》記許謙云：「學以聖人為準的，然必得聖人之心，而後可學聖人之事。聖賢之心具在『四書』。」因而明代大儒薛瑄就高度稱讚「四書」的選編：「周、程、張、朱，有大功於天下萬世，不可勝言。於千餘年俗學異端淆亂駁雜中，剔撥出『四書』來，表章發明，遂使聖學晦而復明，大道絕而復續，粲然各為全書，流佈四海，而俗學異端之說，自不得以干正，其功大矣！」（《讀書錄》卷五）「四書」原本的次序是《大學》《論語》《孟子》《中庸》。後來刊刻本因《大學》《中庸》量小，篇頁無多，並為一冊，於是把《中庸》移到《論語》前。

朱熹

第一節　《大學》與《中庸》

　　《大學》《中庸》是從《禮記》中剔選出來的兩篇論文。《禮記》收錄很雜，像這兩篇應當屬於「七十子」後學的作品。這是《禮記》中最精彩的兩篇，最能體現儒者的大懷抱與大氣象。故漢代人拈出《中庸》，北宋人拈出《大學》，到朱熹則合編為「四書」，元代定為教材之後，便成學生必讀之書。《大學》與《中庸》都是有關修身的，故清代康熙皇帝說：「《大學》《中庸》，俱以『慎獨』為訓，是為聖賢第一要節。」（《聖祖仁皇帝庭訓格言》）。《大學》講外王，《中庸》講內聖，其核心不外乎「修己治人」四字。

1　《大學》：大學精神

　　《大學》的作者，自古無傳，宋儒程子以為是「孔氏之遺書」。朱熹編於「四書」，並將它分為經、傳兩部分，以第一章為「經」，以為是「蓋孔子之言，而曾子述之」；下面的十章則為「傳」，是「曾子之意，而門人記之也」。並且認為「舊本頗有錯簡」，故「因程子所定，而更考經文，別為序次」。

　　所謂「大學」，主要是針對「小學」而言的。《大戴禮記・保傅》篇云：「古者年八歲而出就外舍，學小藝焉，履小節焉；束髮而就大學，學大藝焉，履大節焉。」《尚書大傳》《白虎通・辟雍》《公羊傳・僖公十五年》等，都有類似的記載，雖然各書所言入小學、大學的

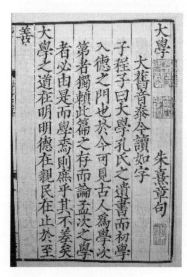

《大學》書影

年齡不大一致，但有一點是一致的，就是對於大學意義的理解。分別言及的大學（「學大藝」、「履大節」、「學經籍」、「業大道」等），自然所言的都是「大人之學」，是成人進入社會、展示人生的大道理、大學問。故《學記》云：「九年知類通達，強立而不反，謂之大成。……夫然後足以化民易俗，近者說服而遠者懷之，此大學之道也。」由此可見古之所謂大學的意義。《大學》正是一篇談古代大學精神的經典之作。在這篇文章的開頭，即以高遠的識見、博大的胸襟，勾勒出了人生自我實現的目標和路線，即由內聖而走向外王的治平之路。其第一章云：

> 大學之道在明明德，在親民，在止於至善。知止而後有定，定而後能靜，靜而後能安，安而後能慮，慮而後能得。物有本末，事有終始。知所先後，則近道矣。古之欲明明德於天下者，先治其國；欲治其國者，先齊其家；欲齊其家者，先修其身；欲修其身者，先正其心；欲正其心者，先誠其意；欲誠其意者，先致其知。致知在格物。物格而後知至，知至而後意誠，意誠而後心正，心正而後身修，身修而後家齊，家齊而後國治，國治而後天下平。自天子以至於庶人，壹是皆以修身為本。其本亂而末治者，否矣。其所厚者薄，而其所薄者厚，未之有也。此謂知本，此謂知之至也。

這就是朱子所謂的「經」，前人有「三綱六證八目」之謂。所謂「三綱」，即明德、親民、至善。所謂「六證」，即止、定、靜、安、慮、得。所謂「八目」，即格物、致知、誠意、正心、修身、齊家、治國、平天下。

「三綱」是大學的宗旨，也是一個宏大的人生目標。所謂「明

德」，就是「大德」、「光明之德」，「明明德」就是彰顯自己「光明之德」，使之普照眾生。所謂「親民」，就是「新民」（親、新通用），是指化民向善，在道德教化之中使百姓不斷表現出新的道德風尚與精神面貌。所謂「止於至善」，是指達到至善至美的境地。什麼是「至善」的境地呢？這就是「為人君，止於仁；為人臣，止於敬；為人子，止於孝；為人父，止於慈；與國人交，止於信」。

「三綱」的提出，是建立在「六經」所給予的道德價值與理論基礎之上的，是以古之聖賢高大的群體形象為背景的。這個抽象的人生目標，正是從堯、舜、禹、湯、文、武、周公等聖賢鮮活的形象中概括歸納出來的。因此《大學》在解釋「明明德」時，舉了堯的「克明俊德」，又舉了文王的「克明德」。在解釋「親民」（新民）時，列舉了成湯「日日新，又日新」的追求，又舉了周公「作新民」的教訓。在解釋「止於至善」時，則舉了《詩經》與孔子之言。這個宏大的人生理想，滲透著「人皆可以為堯舜」的理念。無論什麼人，都可以在自己的努力之下，實現這個人生理想，並將人生的境界體現於不同層次。在這個目標的設定中，物質利益追求與一切個人自私的打算，被徹底丟棄一旁，「立德萬世」、「澤被萬民」、「道德至上」等關鍵字，完全占據了心靈的空間。這作為一種精神，高揚著人類向善的極限，引領著人類走向健康發展的道路。由此我們看到了古代教育的崇高目標，看到了古代「大學精神」的偉大與輝煌。

為了實現「三綱」的宏大目標，《大學》於內提出了「止、定、靜、安、慮、得」六字心訣，於外提出了八個步驟。這六字心訣即所謂「六證」：知道要達到的境界（止），就能夠志向堅定（定），志向堅定就能免去浮躁而內心沉靜（靜），內心沉靜便能夠面對現實而氣定神安（安），然後才能夠沉心思慮（慮），才能有所獲得（得）。這是一個心理上的路線與階梯，也是實現宏大目標的心理基礎。

　　實現這「三綱」的八個步驟，其一是「格物」。關於「格」的解釋分歧甚多，或訓「至」，或訓「來」，或訓「感」。《一切經音義》卷二十二引《倉頡篇》云：「格，度量也。」看來，「格物」就是度量、考究事物之理的意思，也就是面對事物本身而進行分析、推究。這是獲取正確認識的基礎。其二是「致知」，即獲取真知，瞭解到萬事萬物本來之理。用朱熹取程頤的話說：「蓋人心之靈莫不有知，而天下之物莫不有理。唯於理有未窮，故其知有不盡也。是以《大學》始教，必使學者即凡天下之物，莫不因其已知之理而益窮之，以求至乎其極。至於用力之久，而一旦豁然貫通焉，則眾物之表裏精粗無不到，而吾心之全體大用無不明矣。」其三是「誠意」，即誠心誠意，對人對己，都沒有半點欺詐。這是自修的開始。用《大學》的話說：「所謂誠其意者：毋自欺也，如惡惡臭，如好好色。」在這裏，《大學》提出「君子慎獨」的概念。「慎獨」就是在人所不知而己獨知的情況之下，也要謹慎從事而無一絲苟且。就像有「十目所視，十手所指」一樣，暗地苟且之事是無法掩蓋的。只有誠實了，才能端正心思。其四是「正心」，就是要把心放正，戒除歪心眼，這是自修的第二步。用《大學》的話說：「身有所忿，則不得其正。有所恐懼，則不得其正。有所好樂，則不得其正。有所憂患，則不得其正。」如心不端正，為邪念所困擾，其結果就會「心不在焉，視而不見，聽而不聞，食而不知其味」。只有把心放正，才能進而端正自己的行為。其五是「修身」，即檢點自己的行為，糾正感情用事的偏差，要求合於禮的規範，這是自修的完成。自己行為端正了，才有可能治理好一個家。其六是「齊家」，即治理好家庭，使一門之內和睦安寧，父慈子孝。只有家齊才能國治，即《大學》所云：「其家不可教，而能教人者，無之。」「一家仁，一國興仁；一家讓，一國興讓；一人貪戾，一國作亂……堯舜率天下以仁，而民從之。桀紂率天下以暴，而民從

之。其所令反其所好，而民不從。是故君子，有諸己，而後求諸人。無諸己，而後非諸人。」凡事要從自身、自家做起。其七是「治國」。這裏的國是指封建之國，與現在意義上的國家不同。其八是「平天下」，即使天下平定安寧。這是儒家最高的人生目標，但這目標的實現還在自身。「上老老，而民興孝；上長長，而民興悌；上恤孤，而民不悖。」

這「八目」構成了一條人生自我實現的階梯，只要認真地去履行，便可以獲得成功。這裏值得注意的有兩點：

第一，《大學》的目標是培養以天下蒼生為懷包括帝王在內的聖賢，是要剷除每個受教育者身上那種自私自利、目光短淺的小家子氣與庸俗氣，成就天下大材。即便是不能實施治國平天下的理想，也應該在自己從事的事業與自己所處的位置上做到「至善」。這種教育實際上是理想教育、道德教育，是培養人類精神家園的守護者，而不是教給人謀生的技術、謀財的手段。

第二，在這種教育系統中，最關鍵的一環是「修身」，故云：「自天子以至於庶人，壹是皆以修身為本。」而修身最核心的問題是道德。所以在通篇文章中都在強調一個「德」字，如云：「道得眾則得國，失眾則失國。是故君子先慎乎德。有德此有人，有人此有土，有土此有財，有財此有用。」世俗之人在理論上都知道「德」對於一個人立身的重要性，可是一旦有金錢誘惑，便把持不住。故《大學》又特別強調：「德者本也，財者末也。」為政者如果看重「財」而輕視了「德」，那就會「爭民施奪」，與民爭利而施出劫奪的陰招。要明白，「財聚則民散，財散則民聚」。財富聚斂之日，也就是失去民心之時。當然金錢是每一個人都需要的，但君子愛財，取之有道。「生財有大道，生之者眾，食之者寡，為之者疾，用之者舒，則財恒足矣。」同時，對於金錢有兩種不同的態度，「仁者以財發身，不仁者

以身發財」。「以財發身」，就是以財物成就自己的德行與事業，即所謂「散財得民」。「以身發財」，就是把自身作為工具，把錢作為目的。同時《大學》中提到的「君子慎其獨」、「富潤屋，德潤身」等，都是關於道德修養的。道德為修身之本，修身為治平之本，這種邏輯關係是顯而易見的。

宋真德秀《大學衍義序》云：「為人君而不知《大學》，無以清出治之源；為人臣而不知《大學》，無以盡正君之法……此書所陳，實百聖傳心之要典，而非孔氏之私言也……蓋自秦漢以後尊信此書者，唯愈及翱，而亦不知為聖學之淵源、治道之根底也，況其他乎？……《大學》一書，君天下者之律令格例也，本之則必治，違之則必亂。」這代表了古人對《大學》意義的認識。

2 《中庸》：通向內聖

《中庸》相傳為孔子之孫子思所作。七十子之後，在戰國儒家學者中，最早產生較大影響的就是子思。關於子思的生平及著述，《史記・孔子世家》中僅曰：「孔子生鯉，字伯魚。伯魚年五十，先孔子死。伯魚生伋，字子思，年六十二。嘗困於宋。子思作《中庸》。」孟子曾稱魯穆公尊禮子思，《漢書・藝文志》云其曾為魯穆公師。錢穆先生據以考證，說他當約生於周敬王三十七年前後（前483年），卒於魯穆公五年（前403年）。[1]《藝文志》著錄《子思子》二十三篇。梁

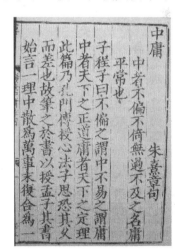

《中庸》書影

---

1 錢穆：《先秦諸子繫年・子思生卒考》，199-202頁，北京，商務印書館，2001。

朝沈約曾見過此書，指出「《中庸》《表記》《防記》《緇衣》，皆取《子思子》」（《隋書·音樂志》引），而這幾篇皆見於今本《禮記》，這為我們研究子思的思想提供了依據。更值得慶幸的是，湖北省荊門市郭店一號楚墓竹簡與上海博物館所藏楚竹書的發現，為我們的研究提供了更可靠、更充足的資料。郭店楚簡中有《緇衣》《五行》《魯穆公問子思》，李學勤先生認為應屬於《子思子》[2]。《子思子》同其他子書一樣，不一定是子思一人的手筆，應當看作子思一派的著作。

　　在子思的著作中，對後世影響最大的莫過於《中庸》。在《漢書·藝文志·六藝略》中，禮類有《中庸說》兩篇，說明漢代就有人將《中庸》從《子思》一書中提取出來，單獨加以注釋發揮了。《隋書·經籍志》中著錄戴顒《中庸傳》、梁武帝《中庸講義》，到宋儒對此更是讚譽有加，認為「此篇乃孔門傳授心法，子思恐其久而差也，故筆之於書，以授孟子」（朱熹《四書集注》引程氏說）。

　　「中庸」，據程子說：「不偏之謂中，不易之謂庸。中者，天下之正道，庸者，天下之定理。」（朱熹《四書集注》引程氏說）就是說，中庸是不偏不倚、不可更易的中正平常之道。在儒家的理論中，「中庸」是一個非常重要的概念，也是一種極高的道德精神。所以，孔子一則曰：「中庸之為德也，其至矣乎！」再則曰：「君子中庸，小人反中庸。」三則曰：「君子依乎中庸，遁世不見，知而不悔，唯聖者能之。」《中庸》則是一篇關於中庸問題的專門論述。《大學》多論德，《中庸》則談道；《大學》講「明德」、「新民」，《中庸》講成己成物。因而《中庸》比《大學》要深奧難讀。

　　《中庸》首章云：

2　李學勤：《荊門郭店楚簡中的子思子》，見《中國哲學》第20輯《郭店楚簡研究》，75-80頁，瀋陽，遼寧教育出版社，1999。

　　天命之謂性，率性之謂道，修道之謂教。道也者，不可須臾離
　　也，可離非道也。是故君子戒慎乎其所不睹，恐懼乎其所不
　　聞。莫見乎隱，莫顯乎微，故君子慎其獨也。喜怒哀樂之未
　　發，謂之中；發而皆中節，謂之和。中也者，天下之大本也；
　　和也者，天下之達道也。致中和，天地位焉，萬物育焉。

　　這一章是全書的總綱領，也是儒學的總綱領。尤其首三句，更為重要。中庸之道本之於天，原之於性。天是性的本源，性是道的根據，道是教的根本。人性表現而為行為，即道。這意味著道即含攝於人性之中。這是一個根本，也是一篇理論的邏輯起點。由於道與性的表裏關係，道便成為人不可須臾離身之物。而道的本質則是「中和」，天下之根本是「中」，天下之達道是「和」，「中和」使天地間充滿生機。而這「中和」就是「中庸」，就體而言是「中庸」，就用而言是「中和」。因此在此章中就提出了三個關鍵字：率性、修道、中和。「率性」言道之出於天而不可易，「修道」言道之備於己而不可離，「中和」言道之為用而不可忽。

　　以此為綱領，《中庸》重點談到了三個問題。第一是「中庸」的問題。中庸之道極簡單，極明瞭，卻極難做到。原因是「知之者過之，愚者不及」、「賢者過之，不肖者不及」。論其淺近，則「造端乎夫婦」，這是最基本的，人人都能知、能行的，在日常生活中無處不在的。論其高遠，則「察乎天地」，合天地並列，贊天地化育，博厚高明，無所不載，無所不覆，如四時錯行，如日月代明，「萬物並育而不相害，道並行而不相悖。小德川流，大德敦化」。但這個「中」字最難把握。舜能「執其兩端用其中於民」，顏回「擇乎中庸，得一善則拳拳服膺而弗失之」，因而成就了他們的聖賢地位。更多的人則是「遵道而行，半途而廢」，不能堅持。這是為什麼呢？很簡單，就

是因為外在的物質利益的誘惑和干擾，使人迷失於現實的迷霧之中，而不知道在何方了。

這裏需要指出的是，現在很多人把中庸理解為調和、折中，沒有立場，不講原則，可以說是牆頭草，隨風倒。其實這是大錯而特錯的。《中庸》第十章云：

> 子路問強。子曰：「南方之強與？北方之強與？抑而強與？寬柔以教，不報無道，南方之強也，君子居之。衽金革，死而不厭，北方之強也，而強者居之。故君子和而不流，強哉矯！中立而不倚，強哉矯！國有道，不變塞焉，強哉矯！國無道，至死不變，強哉矯！」

「強」是君子抵抗政治與社會的壓力與誘惑而堅守中庸之道的一種表現形式，但強卻有不同的表現。堅持和諧卻不同流合污，不管國有道還是無道，自己都能堅守中道而不偏倚，這才是真正的強，也是對中庸的堅持。

第二是「修道」，即「道不可離」的問題。為什麼要「修道」呢？因為在現實利益的誘惑之下，人最容易偏離道的方向而誤入歧途。「道不遠人」，是人的行為自己偏離了道。只有「修身以道」，才能保持身與道的聯繫。「君子之道本諸身」，行道也就像行遠路、登高山一樣，都要從自己腳下開始。這樣自身保持與道的聯繫與合一，非常重要。「為政在人，取人以身，修身以道，修道以仁。」因此，「君子不可以不修身」，不可不提升自己的道德品質，堅持道德實踐。「君子素其位而行，不願乎其外」、「在上位，不陵下，在下位，不援上」、「正己而不求於人」、「施諸己而不願，亦勿施於人」。在這裏，《中庸》又特別提出了三德、九經的概念。「三德」即知、仁、勇，

「知斯三者，則知所以修身」。「九經」即「修身也，尊賢也，親親也，敬大臣也，體群臣也，子庶民也，來百工也，柔遠人也，懷諸侯也」。而其關鍵是修身，「修身則道立」。鬼神在冥冥之中監察著人的行為，因而必須誠心向道，不可欺詐。「誠者，天之道也；誠之者，人之道也。」誠心向道，則必學習，「博學之，審問之，慎思之，明辨之，篤行之」。

　　第三是「至誠盡性」的問題。道本於天，源於性。但現實社會中，在功名利祿權勢尊位的誘惑下，許多人失去了本性，失去了天良，自然也失去了道。唯有真誠才能使人明白道理，喚醒本性。誠是什麼？就是自己向外的真實呈現。人只有在自己的真實呈現中，才能完全顯露本性。而這本性本是來自於天，由天所命的。在這種認識之下，人與天、人與萬物、萬物與天，在源頭上都綰結一處。天之命、人之性、物之性皆備於我之性。故《中庸》云：「唯天下至誠，為能盡其性；能盡其性，則能盡人之性；能盡人之性，則能盡物之性；能盡物之性，則可以贊天地之化育；可以贊天地之化育，則可以與天地參矣。」盡己之性，盡人之性，盡物之性，就可以與天地參合，達到道的最高境界。天地萬物皆因誠而有，而這「誠」本身又是仁的呈現。誠者，成也，是天地仁慈而造就了萬物。故《中庸》云：「誠者自成也，而道自道也。誠者物之終始，不誠無物。是故君子誠之為貴。誠者非自成己而已也，所以成物也。成己，仁也；成物，知也。性之德也，合外內之道也，故時措之宜也。」這就是說，天地萬物無非成於一個「誠」字。誠本於心，道本於理。誠是事物的開端，同時也是歸宿，沒有誠也就沒有了事物。對人而言，誠不只是成就自己，還能成就事物。仁存於內則「成己」，智發於外則「成物」，而這「仁」與「智」都是源自本性的。故而「至誠盡性」就成了大道之行的前提。只有至誠盡性，才能體悟到天地之道的「博也，厚也，高

也，明也，悠也，久也」。

《中庸》中提出的如命、性、道、誠諸命題，成了宋明以降儒學的重要命題。但《中庸》的目的並不是論證性與命、道、誠的關係問題，而在於成就聖人，確立君子內在精神修養的目標。於是「修道」便成了一個核心問題。故文章一再對君子的精神狀態進行描繪。如說「君子之道費而隱」、「君子無入而不自得焉」、「君子居易以俟命」、「君子尊德性而道學問，致廣達而盡精微，極高明而道中庸」等。同時又一再展現聖人的博大精神氣象，如曰：「大哉聖人之道！洋洋乎，發育萬物，峻極於天。憂憂大哉！」「仲尼祖述堯、舜，憲章文、武，上律天時，下襲水土。闢如天地之無不持載，無不覆幬，闢如四時之錯行，如日月之代明。」「唯天下至聖，為能聰明睿知，足以有臨也……溥博淵泉，而時出之，溥博如天，淵泉如淵。」這實際上是展示了兩個不同層次的精神境界，以作為人生修養追求的目標。要達到這個目標，道路只有一條，這就是「誠」，由誠而復性，而明道，而至於道。最終「成己」、「成物」，完成人生的自我實現。

在這個意義上講，《中庸》與《大學》又是互為表裡的，一個通向「內聖」，一個走向「外王」，共同構成中國古代教育的崇高理念與宏大精神。

第二節 《論語》與《孟子》

現在習慣上把《論語》《孟子》歸到諸子之列，以為孔、孟不過是諸子中的兩位而已。但在歷史上，他們的影響是諸子絕對無法比擬的。《論語》在東漢時被列入「七經」，《孟子》在宋代被列入「十三經」。元延祐中恢復科舉後，這兩部書即被定為教科書，對中國讀書人的思想和行為產生了極大影響。儘管說讀《論語》《孟子》，很多人

帶有功利目的，但它一旦作為一種意識形態出現，功利二字就無法概括其意義了。宋游酢曰：「讀《論語》《孟子》而不知道，所謂雖多亦奚以為。」（《游廌山集》卷三）這反映了古人對這兩部書意義的認識。自宋以來，學者們都認為要通「五經」，就須先讀《論語》《孟子》，因為這兩部書蘊含著孔、孟對「五經」的理解和體會，比「五經」容易讀，而且孔、孟二聖鮮活的形象都隱存其中，可見聖賢氣象。朱熹就曾引程子的話說：「先讀《論》《孟》，次及諸經，然後看史，其序不可亂。」（《朱子讀書法》卷四）因此，八百年來，《論語》與《孟子》的影響，要遠大於「五經」。

1 《論語》：人格典範

《論語》可以說是孔子及與孔子有關的言行錄。之所以叫「論語」，「論」有編次之意。據《漢書‧藝文志》所云：「《論語》者，孔子應答弟子時人及弟子相與言而接聞於夫子之語也。當時弟子各有所記，夫子既卒，門人相與輯而論纂，故謂之《論語》。」

孔子（前551-前479），姓孔名丘，字仲尼，春秋魯國人。現在人對他的定位是儒家學派創始人，其實以一個學派創始人的地位來評價孔子，是遠遠不夠的。因為這不能真正說明孔子存在的意義，更不能反映他的歷史地位。孔子一生進行著三項活動。一是政治的。他認為禮樂制度是由人類文明的積累而形成的最美好的一種文明制度，春秋諸侯爭霸而導致禮崩樂壞，是對人類文明的摧殘，因而他周遊列國，一心想復興禮樂文明。二是文化的。他認

孔子

為人類文明的結晶盡載於「六經」，「六經」在則文化傳，六經亡則道義喪。因而他努力整理文化典籍，確立了以「六經」為核心的經典體系與文化學統。三是教育的。他開門收徒，有教無類，創立了中國歷史上第一所私立學校，改變了以往學在官府的教育模式，使得大批平民有了受教育的機會。他接納弟子三千餘人，等於開辦了一座「孔子學院」，教出了身通「六藝」的七十餘名高才生。

孔子的政治活動失敗了，然而他的後兩項工作卻獲得了巨大的成功。他建立的經典文化體系，作為中國傳統文化的核心，創造了中國民族歷盡劫難而不滅的歷史。無論哪個民族，要想入主中原，首先必須接受這個經典文化體系。「能行中國之道」，方有資格「為中國之主」。但是，民族文化是一個民族存在的根據，一旦消失，根植於這個文化的民族便不復存在。因而無論鮮卑族，還是滿族，其一旦行「中國之道」，其民族便會失去「自我」，融入中華民族大家庭中，而以孔子建立的經典文化體系為核心的傳統文化，卻擁有了更多的人群。因此可以說沒有孔子，就沒有這個經典系統，也就沒有中華民族的今天。其次他開辦教育培養出的大批人才，直接促成戰國時代的文化繁榮，創造了中國文化史上最輝煌的一頁。戰國諸子百家，有相當大一批人都是七十二子的弟子或再傳、三傳弟子。如墨家創始人墨子，本「學儒者之業，受孔子之術」（《淮南子・要略》）。戰國最早的法家代表人物吳起，「嘗學於孔子的弟子曾子」（《史記》本傳）。法家最大的代表韓非，則是大儒荀子的學生（《史記》本傳）。道家一派的大師莊子，韓愈以為出自子夏一派（《送王秀才序》），也有人認為出自顏回一脈（今有主此說者），這也並非沒有可能。總之，孔子在人才培養上獲得的巨大成功，為中國文化的發展，作出了空前絕後的貢獻。

毫無疑問，孔子是中國歷史上的第一號巨人。可是他在20世紀的中國卻遭到了厄運，認為他是反動的腐朽階級的代表，從政治上到人

格上都給予徹底否定。其根據是：第一，他屬於沒落的奴隸主階級。第二，在政治上他反對政權下移和僭越行為，如魯季氏用天子之樂，他反對；季氏越禮祭祀泰山，他反對；陳恒殺了齊國的國君，他反對，等等。第三，制度上反對改革，如反對晉國鑄刑鼎、季孫氏廢丘賦等。第四，經濟上反對新興的富有者，如對季氏富於周公，他就十分不滿。

這樣的分析似乎很有道理，但卻機械地解剖、肢解一個鮮活的生命。我們應該能想到，孔子既然如此糟糕，為什麼那個時代竟有三千有志之士追隨他？在他之後從皇帝到平民竟有那麼多人崇拜他？難道這些人都失去了判斷，都受了矇騙，甚至在千百年的歷史中竟無一人覺悟？這顯然是說不通的。孔子是否真反動、真保守，我們可從四方面認識：

第一，從孔子在時代文化中的角色看，他代表的是先進的文明制度。春秋時代是一個文化大衝突、大融合的時代；一方面是橫向上的各地域、各民族之間的文化衝突，如夷夏之爭、楚與中原諸夏之爭，以及齊魯異俗等。一方面是縱向上的先代文化遺存與周文化的衝突，如宋襄公以人祭社、秦穆公以三良殉葬等。文化的衝突，實際上存在著文化的重新選擇。孔子本是殷人之後，但他放棄了血緣的偏見，選擇了最能代表先進文明的周文化。他說：「周監於二代，鬱鬱乎文哉！吾從周。」周朝的禮樂文明制度是在夏商兩代制度的基礎上發展而來的，因此代表文明的進步。同時，孔子在這場文化衝突中，更起到了一個承前啟後的作用。前代的文化收於孔子一手，後代的文化出於孔子一身。沒有他，可能經過了數千年進化的文化傳統就會斷絕，所以孔子有「文王既沒，文不在茲乎」的感歎。

第二，從當時社會對孔子的認識看，他的形象是崇高的、偉大的。而用今天的價值觀去評論歷史，一定會有偏差。只有返回歷史，

從那個時代人的眼裏，才有可能看到真實的孔子形象。在儀封人的眼裏，孔子是時代的「木鐸」（《論語‧八佾》），有著號召人、導引人前進的時代意義，代表的是人類正確的發展方向。在達巷黨人的眼裏，「大哉孔子！博學而無所成名」（《子罕》）。在當時貴族孟僖子的眼裏，孔子是必然要顯達的聖人之後。（《左傳‧昭公七年》）這反映了時代人對孔子的評價與期待。雖然孔子也曾受到當時一些人的嘲笑，但嘲笑中留著幾份同情和惋惜，對於其人格則都是充分肯定的。至於孔子的弟子，他們對於孔子的尊敬、崇拜以及評價，如「夫子聖者與」、「仰之彌高，鑽之彌堅，瞻之在前，忽焉在後」、「仲尼，日月也」、「夫子之不可及也，猶天之不可階而升也」等，就更可看出孔子在時人心目中的地位了。

第三，從孔子的社會文化觀看，他是主張社會發展、變革的。這一點在《論語》中就有清楚地反映。如《論語‧為政》云：「子曰：殷因於夏禮，其損益可知也；周因於殷禮，其損益可知也。其或繼周者，雖百世可知也。」殷禮是在夏禮基礎上改定的，周禮又是在殷禮基礎上改定的。這無疑是認可社會文化是在不斷變革中進步的。《衛靈公》篇云：「子曰：行夏之時，乘殷之輅，服周之冕，樂則韶舞。」這裏所說的則是文化變革中擇善而從的問題。夏曆有利於農業生產，故而採用夏曆。一直到今天，農村中通行的仍是夏曆。殷代的大車、周朝的禮帽、舜時的樂舞，都是在同類比較中擇善而從的。顯然孔子是在人類創造的全部文化中，用開放的態勢進行選擇的。他反對的並不是社會進步，而是「天下無道」、戰亂、篡殺、財富掠奪、奢侈等引導社會走向罪惡的行為和力量。

第四，從孔子思想的本質來看，看不到一絲惡的影響，而呈現出的是仁慈與善良。他強調的仁、義、禮、智、信、忠、恕、孝、悌、溫、良、恭、儉、讓等，無一不體現出他的道德精神與人格追求。他

以「仁」為核心的人格追求與以「禮」為核心的治世理想，勾勒出的是一位聖人的救世苦心。由此而言，定孔子為千古罪人，顯然是在一種錯誤觀念的導引下所得出的不負責的錯誤結論。

就《論語》一書，它記錄了孔子日常生活中的言語、行為，以及對事物的處理方式和看法。在極為平常的記述中，展示了一位聖者的作風，確立了君子人格的典範。甚至可以說，《論語》展示的是以孔子為核心的一個聖賢集團的風範。即如薛瑄《讀書錄》所說：「觀孔門諸弟子之言，從容和毅，皆彷彿夫子之氣象，乃聖教涵煦而然也。」（卷四）「《論語》一書，未有言人之惡者，熟讀之可見聖賢之氣象。」（卷八）在《論語》一書中，很少轟轟烈烈，也很少豪言壯語，全書都顯得那樣平實，但在平實之中卻凸顯了孔子及這個群體的聖賢氣象，他們在具體的言行中，為人們樹立了楷模。請看：

日常的行為表現：「夫子溫、良、恭、儉、讓以得之。」（《學而》）「子溫而厲，威而不猛，恭而安。」（《述而》）「子絕四：毋意，毋必，毋固，毋我。」（《子罕》）

對待自己嚴格：「吾日三省吾身。」（《學而》）「德之不修，學之不講，聞義不能徙，不善不能改，是吾憂也。」（《述而》）

對待別人寬容：「夫子之道，忠恕而已矣。」（《里仁》）

坦誠待人：「吾無隱乎爾。吾無行而不與二三子者，是丘也。」（《述而》）

講究信譽：「人而無信，不知其可也！」（《為政》）

不時向賢善者學習：「見賢思齊焉，

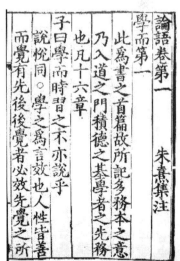

《論語》書影

見不賢而內自省也。」（《里仁》）「三人行，必有我師焉。擇其善者而從之，其不善者而改之。」（《述而》）

反對驕傲自滿：「周公之才之美，使驕且吝，其餘不足觀也已。」（《泰伯》）「君子泰而不驕。」（《子路》）

少說多做，以身作則：「君子欲訥於言而敏於行。」（《里仁》）「君子恥其言而過其行。」（《憲問》）「其身正，不令而行；其身不正，雖令不從。」（《子路》）

多做自我批評：「不患人之不己知，患不知人也。」（《學而》）

歡迎別人批評：「丘也幸，苟有過，人必知之。」（《述而》）

宅心仁厚：「君子去仁，惡乎成名？君子無終食之間違仁，造次必於是，顛沛必於是。」（《里仁》）

與人和諧相處：「君子無所爭。」（《八佾》）「君子和而不同。」（《子路》）「君子矜而不爭。」（《衛靈公》）

對待富貴的態度：「富與貴，是人之所欲也，不以其道得之，不處也。貧與賤，是人之所惡也，不以其道得之，不去也。」（《里仁》）「不義而富且貴，於我如浮雲。」（《述而》）「邦無道，富且貴，恥也。」（《泰伯》）

追求精神修養，淡泊名利：「朝聞道，夕死可矣。」（《里仁》）「君子憂道不憂貧。」（《衛靈公》）

對待鄉親：「恂恂如也（恭順貌），似不能言者。」（《鄉黨》）

對待同事：「與下大夫言，侃侃如也（和樂貌）。與上大夫言，誾誾如也（和悅而諍貌）。」（《鄉黨》）

拜託人辦事：「問人於他邦，再拜而送之。」（《鄉黨》）

對待鄉里老人：「鄉人飲酒，杖者出，斯出矣。」（《鄉黨》）

對待朋友：「朋友死，無所歸，曰：『於我殯。』」（《鄉黨》）

對待災難:「廄焚。子退朝,曰:『傷人乎?』不問馬。」(《鄉黨》)

對待不幸者:「見齊衰,雖狎(親近),必變。見冕者與瞽者,雖褻,必以貌(禮貌)。凶服者軾之。」(《鄉黨》)

教人行事的原則:「己所不欲,勿施於人。」(《顏淵》)

事情、言語都極平常,但卻平常到別人做不到的程度。平易、謙和、善良,有情有義,有同情心,是非分明,堅持原則,貴義賤利,憂道不憂貧,嚴於律己,寬以待人,以身作則,這就是孔子,這就是孔子及其弟子為我們樹立的榜樣。這是一種人格境界,也是道德精神的體現。《論語》中的任何理論,都是圍繞著這個楷模展開的,而這個楷模的確立又是靠終身修己並不懈努力完成的。孔子有句名言:「吾十有五而志於學,三十而立,四十而不惑,五十而知天命,六十而耳順,七十而從心所欲,不逾矩。」(《為政》)這裏所列人生階段的標誌,也是不斷修己、提升自己人格境界的說明。十五歲有志於學問,這是修己的開始。「古之學者為己」,「為己」就是要用學問修身。「三十而立」,是修身的初步成效。「不學禮,無以立」。「而立」是因為把握了禮樂的基本精神和做人的基本準則,在行為上能夠遵道而行,有所建樹,即所謂「學立德成」。人生不斷修養,境界積十年而有一進。「四十而不惑」,則是又進了一個層次。「惑」是由於智,學問日進,經明行修,對事物有了充分的理性判斷,即所謂「知者不惑」。孟子說「我四十不動心」,說的也是不惑。「不惑」與「不動心」,都是在理性的支配之下的心理狀態。在這種狀態下,就可以在紛雜的事物中辨清方向,靈活地處理問題,即蘇軾所說:「四十不惑,可與權變。」累積的「知」,發生質的變化,則是對天命的徹底覺悟,便進入了「知天命」的境界。天生萬物,各有其性,作為有別於萬物的人,仁義禮智之性並受自天。「知天命」即是對於人的生命

中所蘊藏的道德性的領悟。一旦領悟到生命中道德性的存在，就會在現實生活中排除種種足以使人亂性的物質誘惑和干擾，保證人本性的純潔，並確認人性的發展方向，將人性與天道統一起來。《中庸》所說的「天命之謂性，率性之謂道」，正是基於這種認識而言的。這是一種新的人生境界，只有進入這個境界，才能真正理解天道。故孔子說：「不知命，無以為君子。」（《韓詩外傳》卷六）孔子之所以「知天命」與「學《易》」在同一個時間段內，正是因為他明白人性與天道的關係。他學《易》，一方面是要明白天道對人事的規定性意義，另一方面則要推天道以明人事，把握中庸，以「致中和」，使天地間多一份祥和。進而至於「耳順」，這又是一個新的層次的境界。之所以「耳順」，是因為對人生的各種問題都已做過思考，對人生的修養目標早已設定。各種外在的議論和壓力，都早已預知在心，即如王弼所云「心識在耳在前也」，自然無法干擾自己的行為方向。「不惑」還要理性辨，而「耳順」，則無須思考，進而則達到人生的最高境界：「從心所欲，不逾矩。」所習之道已成己性，道與心融為一體，從心即從道，故而無論怎樣隨心所欲，都可以不越規矩。這是一個完美的人格境界。孔子的這個人生經驗，可能我們每個人都會有體會，但要最終達到「不逾矩」，則非有克己復禮的硬功不可。孔子之所以能成為萬世師表，其因也正在此。我們在《論語》中看有關於孔子「割不正不食」、「席不正不坐」之類的記述，在現在人看來，覺得不可理解。其實很簡單，孔子一生行正道，而且為正天下努力不懈，在心理上，根本不能接受歪的邪的東西。生活中的任何一個細節，都能表現出他的正直不苟精神來。

總之，孔子用他的行為，樹立了君子人格的典範。有人理解君子人格就是正直不阿，認為堅持自我、寧折不彎、說到做到，那就是君子。其實孔子並不贊成那樣。孔子認為君子要把握的是道義原則，而

不是形式。在不違背道義原則的前提下，完全可以根據具體情況來處理問題。如面對殷紂王的暴政，「微子去之，箕子為之奴，比干諫而死」，三人雖用不同的方式表示了對紂無道行為的反抗，但孔子統稱他們為「三仁」，因為他們都是為「憂亂寧民」而採取了不同行為。對於「言必行，行必果」的自我堅持，孔子認為是「硜硜然小人哉」。因為他們不辨是非黑白，在形式的堅持中丟失了對道義的把握。孟子說「大人者言不必信，行不必果，唯義所在」，也是這個意思。孔子「毋意，毋必，毋固，毋我」的四絕，也是對不知變通、沒有原則的堅持的反對。

2 《孟子》：保民政治

　　與《論語》一樣，《孟子》也是孟子與其弟子的言行錄。不同的是，孟子參與了《孟子》七篇的寫作與編輯。據《史記》記載，孟子名軻，鄒人，受業子思之門人。曾游事齊宣王、梁惠王，因不能用，退而與其弟子萬章之徒，序《詩》《書》，述仲尼之意，作《孟子》七篇。孟子的思想及其性格表現、為人原則，都保存在《孟子》一書中。

　　孟子是儒家學派的第二號人物，但他沒有孔子幸運。孔子聖人的地位，在他的那個時代就已經基本確立了。而孟子，卻一直有人對他非議。王充有《刺孟》，司馬光有《疑孟》，鄭厚《藝圃折中》中又罵孟子「賊心」，「挾仲尼以欺天下」，「誦仁義賣仁義」。明太祖朱元璋也曾罵孟子說：「使此老在今日，寧得免耶？」（全祖望《鮚埼亭集·辨錢尚書爭孟子事》引《典故輯遺》）。這主要是因為孟子沒有孔子那

孟子

樣平易，那樣容易被人接受。他的語言有感染力、煽動性，卻沒有孔子的實在。孟子與孔子有完全不同的性格，孔子非常謙和，對待人是溫良恭讓，而孟子則是盛氣凌人，性格剛直。如他正準備去朝見齊王，齊王派人來告他，說自己感冒了，如果一定要見，他就勉強上朝。孟子馬上便生氣了，說：不幸得很，我也病了。第二天齊王派醫生來給他看病，他卻跑到朋友家弔喪去了。孟子要離開齊國，有個朋友替齊王挽留他，諫勸他，他卻伏在靠几上睡起覺來，並說，你應該去勸齊王學會對待賢人，不應該來勸我。孔子是「畏天命，畏大人」，孟子則是「說大人則藐之，勿視其魏魏然」，完全不把大人放在眼裏。用他自己的話說，那是「浩然之氣」所起的作用。這「浩然之氣」是內中聚集的正義生出來的，配義與道而行，因而有了「至大至剛」的特性，使人有充滿「天地之間」的感覺。這就是我們平時所說的「理直氣壯」。認為自己是真理的擁有者，自然就氣壯起來了。《論語》中洋溢的是「聖賢氣象」，《孟子》中所體現的則是「大家氣概」。唐韓愈《原道》云：「博愛之謂仁，行而宜之之謂義，由是而之焉之謂道……堯以是傳之舜，舜以是傳之禹，禹以是傳之湯，湯以是傳之文、武、周公，文、武、周公傳之孔子，孔子傳之孟軻，軻之死不得其傳焉。」這一論述確定了孟子在道統中的位置，也為《孟子》一書列入經典行列提供了依據。

孟子的思想主要體現於，在政治上他是「王道論」者，要求統治者對百姓施行仁政，關心民生；在哲學上他是「性善論」者，認為辭讓、羞惡、是非、惻隱之心是人生來皆具的；在道德思想上他是「仁義論」者，認為「仁，人心也；義，人路也」，人應該守住這顆心，堅持這條路。有人把「性善」認作孟子思想的核心（如朱子曰：「《孟子》七篇，皆不能外性善之一言。」薛瑄曰：「性善為《孟子》之體要」），也有人把「仁義」認作孟子思想的核心（如張岱年先生），但

《孟子》書中最閃亮的還是他的「民貴」思想。他最讓世人震驚的一句話是：「民為貴，社稷次之，君為輕。」本來「民本」思想是傳自堯舜的傳統政治思想，這在《尚書》中看得非常清楚。但是如此明確把「民」放到第一位，提出「民貴君輕」的理論，還是第一次。孟子無論談王道，還是談仁義、談性善，其意義指向似乎都在一個「民」字。比如「王道」，怎樣才能王天下呢？「保民而王，莫之能禦也。」（《梁惠王上》）落腳點在「保民」。再看「仁義論」，國君仁義，則能「樂民之樂」、「憂民之憂」，施行「仁政」。仁政的目的，仍在「保民」。「性善論」其本質是哲學的，而其實際仍在於政治，推恩施仁，則可以保天下，終端仍在於民。「民」字在《孟子》中出現兩百餘次，可以看出其在孟子心中的分量。

在《論語》中，孔子是對著一般人說話的。《孟子》中，孟子多是對著國王說話的。他對那些國王談得最多的就是怎麼樣愛護老百姓。他理想中的聖王文王就是愛民如子的最佳典範。他說：「昔者文王之治岐也，耕者九一，仕者世祿，關市譏而不徵，澤梁無禁，罪人不孥。老而無妻曰鰥，老而無夫曰寡，老而無子曰獨，幼而無父曰孤。此四者天下之窮民而無告者。文王發政施仁，必先斯四者。《詩》云：『哿矣富人，哀此煢獨。』」（《梁惠王下》）

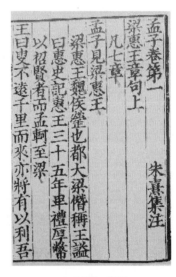

《孟子》書影

又說：「文王之民，無凍餒之老者。」（《盡心上》）「文王視民如傷，望道而未之見。」（《離婁下》）正是因為這樣，所以文王有事，民樂為之。這就為王者樹立了榜樣。他認為為國者最急之務，就是老

百姓的生活問題。「民事不可緩也」（《滕文公上》）。老百姓生活無著
落，自然就會出現違法行為。「及陷乎罪，然後從而刑之，是罔民
也。」賢君在上，必然是「恭儉禮下，取於民有制」。凡事應該聽聽
老百姓的意見。如國君選拔賢人，國君左右的人以及朝中官員都說他
好，這不行。如老百姓都說這人不錯，這才值得考慮任用他。左右臣
僚及官員們都說這人不好，這不可信，只有老百姓都說他不好，這才
值得考慮免其職。國人都說這人可殺，那就得考慮把他殺掉。出征哪
個國家，哪個國家的人歡迎你，你就可征伐。守衛國土，百姓願意與
你一同堅守，那就可以；百姓不願守，想守也守不成。

近一個世紀以來，人們多以為孟子這些話都是站在統治者的立場
考慮的，但認真分析一下，則並非如此。因為國君的命運與孟子並沒
有關係，孟子也不必去關心他們的死活，而天下蒼生的命運，卻是每
一個有良知的知識分子所牽掛的。中國傳統士大夫修齊治平的理想，
並不是為了天子，而是為了天下，為了天下蒼生，這也正是中國傳統
文化教育的偉大之所在。因此，推行仁義的孟子理當站在民眾的立場
上對統治者講話，也正因如此，他對暴君就特別憎惡。他明確地表述
君臣的對等關係：「君之視臣如手足，則臣視君如腹心；君之視臣如
犬馬，則臣視君如國人；君之視臣如土芥，則臣視君如寇讎。」（《離
婁下》）對於「寇讎」自然就不存在君臣之義的問題了。因此武王誅
紂，理在必行。「賊仁者謂之賊，賊義者謂之殘，殘賊之人，謂之一
夫，聞誅一夫紂矣，未聞弒君也。」（《梁惠王章句下》）他又說：「暴
其民甚，則身弒國亡；不甚，則身危國削。名之曰幽、厲，雖孝子慈
孫，百世不能改也。」（《離婁上》）對助紂為虐之臣，也很不客氣，
如云：「今之事君者曰：『我能為君闢土地，充府庫。』今之所謂良
臣，古之所謂民賊也。君不鄉道，不志於仁，而求富之，是富桀也。
『我能為君約與國，戰必克。』今之所謂良臣，古之所謂民賊也。君

不鄉道，不志於仁，而求為之強戰，是輔桀也。」（《告子下》）這應該說是對他的愛憎立場的說明。

司馬遷在《孟子荀卿列傳》開首曰：「余讀《孟子》書，至梁惠王問『何以利吾國』，未嘗不廢書而歎也。曰：嗟乎，利誠亂之始也！夫子罕言利者，常防其原也。故曰：『放於利而行，多怨。』自天子至於庶人，好利之弊，何以異哉！」司馬遷是由《孟子》開篇一段話而引發的感歎。《孟子・梁惠王上》曰：

> 孟子見梁惠王。王曰：「叟！不遠千里而來，亦將有以利吾國乎？」
> 孟子對曰：「王何必曰利？亦有仁義而已矣。王曰『何以利吾國？』大夫曰『何以利吾家？』士庶人曰『何以利吾身？』上下交征利而國危矣。萬乘之國，弒其君者，必千乘之家；千乘之國，弒其君者，必百乘之家。萬取千焉，千取百焉，不為不多矣。苟為後義而先利，不奪不饜。未有仁而遺其親者也，未有義而後其君者也。王亦曰仁義而已矣，何必曰利？」

這裏提出了兩個相對立的概念，即「利」與「仁義」。「利」講聚斂，對於天下國家來說，言「利」則必謀利，謀利則必爭利。人與人之間都有不同的利益，如果各為其利而爭，其結果只能是天下大亂。所以孟子說：「上下交征利而國危矣。」司馬遷說：「利誠亂之始也！」爭相奪利，國不亡則危。相反，仁義是要付出、要貢獻的，在朋友之間出現利益衝突的時候，仁義之道講的是禮讓，因而天下國家，多一分仁義，就會多一分安樂。孟子之所以要把這一章放在全書之首，關鍵是他看到了爭利為天下帶來的災難。春秋爭霸，戰國爭雄，無非皆為了一個「利」字。但為這一個「利」字，卻使天下處於

水火，使人類文明之車，背離了人類願望的方向。孟子的這個認識代表了中國古代先哲的普遍觀點。中國人之所以一再強調「貴義賤利」的價值觀，正是為天下萬世考慮的。他們並不是不知道物質追求會給人類的物質生活帶來便利，但考慮人類萬世的生存，只能是揚仁義而抑利。當下來自西方的以利益最大化為目標追求的價值觀所導致的人類物質與精神家園的雙重破壞，給了人類有史以來最慘痛的教訓，使西方的哲人們不得不考慮從中國經典中汲取智慧，以求得人類繼續生存的可能。

　　總之，孟子的「民貴」思想，繼續並發展了《尚書》以來的民本思想，也代表了中國政治理論健康的發展方向。有人指責孟子有「民本」思想而無「民主」思想，這自然與這個時代宣導民主政治有關，但是否有點兒在苛求歷史呢？

思考題

1. 《大學》的基本精神是什麼？何為三綱、六證、八目？
2. 《中庸》的基本精神是什麼？對於「至誠盡性」問題，你是如何理解的？
3. 孔子是怎樣的一個人？他在中國文化史上的地位如何？
4. 《論語》中展示了怎樣的人格典範？
5. 你對《論語》中的「仁」是如何理解的？
6. 孟子的基本思想是怎樣的？
7. 你對孟子的「性善論」是如何理解的？
8. 你對《孟子》「王何必曰利」一章是如何理解的？

參考書目

〔宋〕朱熹：《四書集注》，長沙，嶽麓書社，1986。

〔清〕劉寶楠：《論語正義》，北京，中華書局，1990。

〔清〕焦循：《孟子正義》，北京，中華書局，1987。

江希張：《新注四書白話解說》，鄭州，中州古籍出版社，1991。

楊伯峻：《論語譯注》，北京，中華書局，1980。

楊伯峻：《孟子譯注》，北京，中華書局，1960。

夏傳才：《十三經講座》，桂林，廣西師範大學出版社，2006。

第三編

史學

　　《說文》云:「史,記事者也。從又持中。中,正也。」吳大澂以「中」為簡冊,「持中」即持簡冊之象。(《說文古籀補》)章太炎先生在《文始》卷七中對此有詳細的解釋,他說:

> 中本冊之類。故《春官・天府》:「凡官府鄉州及都鄙之治中,受而藏之」。鄭司農云:「治中,謂其治職簿書之要。」《秋官・小司寇》:「以三刺斷庶民獄訟之中。」「歲終,以群士計獄弊訟,登中於天府。」《記・禮器》曰:「因名山,升中於天。」升中即登中,謂獻民數政要之籍也。《堯典》:「諮爾舜,天之歷數在爾躬,允執其中。」謂握圖籍也。《春秋國語》曰:「左執殤官,左執鬼中。」韋解以中為錄籍。漢官亦有執中,猶主簿爾。史字從中,謂記簿書也。自大史、內史以至府史,皆史也……漢以來稱書一帙曰一通,通亦中也,音轉入陽則曰賬。

　　這就是說,「中」和「賬」是一聲之轉,古代所說的「中」,就是現在人所說的「帳簿」。手持帳簿,表示是執掌記事之職。就廣義上言,「六經皆史」,即王陽明所云:「以事言謂之史,以道言謂之經,事即道,道即事,《春秋》亦經,『五經』亦史。」(《傳習錄》上)因為在古人的觀念中,「五經」具有記事與明道的雙重意義,因而「經」中的道德精神,便成了史家秉承的血脈。故劉知幾以「三史」

繼「五經」，說：「經猶日也，史猶星也。」特別是《尚書》與《春秋》二經，「意指深奧，誥訓成義（《尚書》）；微顯闡幽，婉而成章（《春秋》）」，可以「師範億載，規模萬古」。（《史通·敘事》）《尚書》記言，《春秋》記事。記言則先王誥訓，是堂堂正正的道德文字；記事則婉曲成章，寓是非評斷於敘事之中。司馬遷作《史記》，其立志非常明確，就是要效法《春秋》。（《太史公自序》）班固《漢書》也聲稱「綜其行事，旁貫五經」。（《漢書敘傳》）梁啟超談到史與道的關係時說：

> 中國史家向來都以史為一種表現道的工具……此種明道的觀念，幾千年來，無論或大或小，或清楚，或模糊，沒有一家沒有，所以值得我們注意。明道的觀念，可以分為兩種。一明治道，二明人道。明治道是借歷史事實說明政治應該如何，講出歷代的興衰成敗的原因，令後人去學樣。明人道，若從窄的解釋，是對一個人的批評、褒貶。表彰好的令人學，指謫壞的令人戒。若從廣的解釋，是把史實羅列起來，看古人如何應付事物，如何成功，如何失敗，指出如何才合理，如何便不合理……這點注重明道的精神是中國人的素質，我們不能放鬆的。[1]

在這個意義上說，中國史學是在「經典」的道德精神哺育下生成的一個以記事為主旨的價值判斷系統。

---

1 梁啟超：《中國歷史研究法》，331頁，北京，東方出版社，2005。

第五章
史學概說

　　就傳統四部分類言，史部是最有分量的一部。在世界文化的大視
野下看，中國的史官傳統最為悠久，史學典籍最為豐富，它保存了人
類最為系統也最有價值的活動資料。故梁啟超說：「試一翻四庫之
書，其汗牛充棟、浩如煙海者，非史學之書居十六七乎！上自太史
公、班孟堅，下至畢秋帆、趙甌北，以史名家者，不下數百。茲學之
發達，二千年於茲矣！」[2]黑格爾也曾道：「中國『歷史學家』的層出
不窮，繼續不斷，實在是任何民族所比不上的。」[3]同時值得關注的
是中國史學中的那種道德堅持與價值判斷，它像是中華民族行為的一
個監督系統與導航系統，對歷史的健康發展起到了積極的作用。

第一節　史家傳統與精神

　　「史學」離不開史官，史官在中國歷史上出現得特別早，據許慎
《說文解字敘》、衛恒《字勢》說，早在黃帝時就有了史官的建置，
像傳說中造字的倉頡、沮誦，就是黃帝的史官。《呂氏春秋・先識》
篇說，夏末夏桀昏亂暴虐，太史令終古攜帶圖法投奔於商。商末內史
向摯見紂無道，載其圖法出亡之周。這可看出，夏商時期的史官，手

2　梁啟超：《新史學・中國之舊史》，見《飲冰室合集》文集之九，2-3頁，北京，中華
　　書局，1989。
3　〔德〕黑格爾：《歷史哲學》，161頁，北京，生活・讀書・新知三聯書店，1956。

裏都掌握著圖書法典。《左傳・昭公十五年》云：「且昔而高祖孫伯
黶，司晉之典籍，以為大政，故曰籍氏，及辛有之二子董之晉，於是
乎有董史。」《史記・老莊申韓列傳》說老子為周守藏室之史，《索
隱》曰：「按藏室史乃周藏書室之史也。」這也證明了「史」與文獻
典籍的關係。據《周禮》《禮記》記載，周代的史官有大史、小史、
內史、外史、左史、右史等不同名目。大史是史官之長，《周禮》言
大史掌國之六典，即治典、教典、禮典、政典、刑典、事典。在甲骨
文和金文中都出現過「大史」之職，他負責起草王朝的文書，策命諸
侯卿大夫，記載國家大事，編著史冊，管理圖書典籍，掌管天文、曆
法、祭祀等，是一種兼管神職與人事，觀察並記載社會動態與自然現
象的職官。[4]小史掌邦國之志，以及貴族世系、禮儀等事；內史掌冊
書王命，外史掌管宣佈京畿以外地區的王令，左史記言，右史記事。
總之，不管是什麼史官，都是以掌管圖籍、記言載事為主要職責的。
各個史官的手裏都有一筆圖籍法典，而國家各類性質的圖籍法典，也
都掌握在史官的手裏。因此劉師培在《古學出於史官論》中說：「則
史也者，掌一代之學者也；一代之學，即一國政教之本。」

　　就古代的政治體制而言，史官其實是政治體制中的一個執法系統
和監督系統。《漢書・藝文志》云：「古之王者，世有史官，君舉必
書，所以慎言行，昭法式也。左史記言，右史記事，事為《春秋》，
言為《尚書》，帝王靡不同之。」因為要把君王的言行無論善惡都要
記錄下來，為君者就要特別注意自己的行止。如言行不慎，便有可能
遺罵名於後世。故史官「君舉必書」的一個目的，就是要使君「慎言
行」。據《左傳・莊公二十三年》記載，魯莊公要到齊國觀看祭社活
動。這種活動在古代有男女聚會求愛和性放蕩的性質，莊公的目的就

4　張亞初、劉雨：《西周金文官制研究》，72頁，北京，中華書局，1986。

是要去看美女。曹劌認為莊公的這一行為是「非禮」舉動，於是諫阻
莊公，其中就提到「君舉必書」的史官職責，他說：「君舉必書，書
而不法，後嗣何觀！」由此可以看出，史官在政治體制中實起著政治
監督作用，因此古籍每每談到史之察過功能。如《大戴禮記・保傅》
篇云：「及太子既冠成人，免於保傅之嚴，則有司過之史。」《新序》
卷一云：周舍事趙簡子，在趙簡子門前站立了三日三夜，趙簡子問他
有什麼事，他的回答是：「願為諤諤之臣，墨筆操牘，隨君之後，司
君之過而書之。日有記也，月有效也，歲有得也。」意思就是要做他
身邊的史官。《詩經・邶風・靜女》云：「古者後夫人，必有女史彤管
之法，史不記過，其罪殺之。」這裏也特別提到了「司過」的問題。
從這些記載可以知道，君王或后妃，其左右都有史官記其言行。《國
語・晉語》中提到憂施教驪姬夜半而泣向獻公進讒言的事。按說這些
隱秘之事，特別是驪姬與獻公床第之言，外人何能知呢？有人認為這
是作者的想像之詞，其實這正出自女史之手。左右史記言記行的制度
演變為後來的起居注制度。漢安帝元初五年（118年），北海靜王劉睦
之子劉毅曾上書曰：「古之帝王，左右置史，漢之舊典，世有注記。」
（《後漢書・皇后紀上》）這說明漢代「注記」是繼承了古代的左右史
的功能，有人認為「注記」就是起居注，儘管在這個問題上還存在分
歧，但漢代確實是建立起了起居注制度，故《隋書・經籍志》言漢武
帝有《禁中起居注》。起居注主在記錄皇帝的言行，善惡必錄，這對
皇帝的言行必然有一種監督、制約作用。西魏時，史官柳虬認為起居
注之類秘史，「徒聞後世，無益當時」，曾給皇帝上書，要求把當代史
官記載的史事公諸當世，「付之史閣，庶令是非明著，得失無隱；使
聞善者日修，有過者知懼」。（《周書・柳虬傳》）其實即使不公開，
「有過者」同樣是「知懼」的。宋錢顗《上神宗要務十事》說：「臣
聞：太祖一日朝罷，御便殿，俛首不言。內侍王繼恩進曰：『陛下退

朝，不同常日。不知其故？』帝曰：『爾謂帝王可容易行事耶？早來誤指揮一事，史官必書之，此所以不樂也。』」這反映了史官制度給權力擁有者帶來的畏懼，從而更充分地體現了其對權力的監督、制約意義。

當然，史官記載也必然會有權力干擾。如東魏時權臣高歡就威脅史官魏收：「我後世功名在卿手，勿謂我不知。」但古代在制度上給史官秉筆直書予以了一定保證，使這一傳統得以延續。如天子不殺史官、不觀起居注等，雖無成文，但已約定俗成，予權力干擾史官以極大的限制。《貞觀政要》卷七載：「貞觀十三年，褚遂良為諫議大夫，兼知起居注。太宗問曰：『卿比知起居書何等事，大抵於人君得觀見否？朕欲見此注記者，將卻觀所為得失，以自警戒耳。』遂良曰：『今之起居，古之左右史，以記人君言行，善惡畢書，庶幾人主不為非法，不聞帝王躬自觀史。』太宗曰：『朕有不善，卿必記耶？』遂良曰：『臣聞守道不如守官，臣職當載，筆何不書之？』黃門侍郎劉洎進曰：『人君有過失，如日月之蝕，人皆見之。設令遂良不記，天下之人皆記之矣。』」又說：「貞觀十四年，太宗謂房玄齡曰：『朕每觀前代史書，彰善癉惡，足為將來規誡，不知自古當代國史，何因不令帝王親見之？』對曰：『國史既善惡必書，庶幾人主不為非法，止應畏有忤旨，故不得見也。』」《新唐書・儒學・朱子奢傳》載：唐太宗想看起居注，朱子奢說：「陛下所舉無過事，雖見無嫌。然以此開後世史官之禍，可懼也。史官全身畏死，則悠悠千載，尚有聞乎？」《新唐書・鄭朗傳》載：文宗想看自己議事的記錄，鄭朗引朱子奢事說：「史不隱善，不諱惡，自中主而下，或飾非護失，見之則史官無以自免，且不敢直筆。」《魏謩傳》也曾言及文宗想看起居注，遭魏謩拒絕的事。不過皇帝總是想最大限度地使用自己的權力，而史官君舉必書的制度又造成了皇帝的恐懼心理，史官制度與皇權之間便會發

生衝突，特別到皇權膨脹的明清兩代，這種衝突顯得極為突出，因此明朝一度廢除了專記皇帝言行的起居注官職，儘管有大臣一再上疏要求恢復這種古老的傳統，但皇帝還是不情願，故在萬曆時復而再廢。清朝康熙時雖恢復了傳統的起居注制度，可是對「起居注君王不必親覽」的規定又心生疑慮，只怕有劣跡傳於後世，故而對掌起居注的史官不時威儡一番，令其心生畏忌，中間也曾發生了起居注館被裁撤的事件。但在史官的監督功能受到皇權威脅的近世，野史與史學批評著作卻開始大量產生了，無疑是對傳統「史職」監督功能的一種補充。

　　史官抗權力干擾的能力，除了制度上的保證外，還有很重要的一點，這就是史官「據法守職」的傳統。《說文》說「史」字上面的「中」字是中正的意思，這個解釋雖然不合於「史」的構意，卻反映了古人對史官「據法守職」的認識。饒炯《說文部首訂》云：「史者，記事之官。《禮記》云『動則左史書之，言則右史書之』是也。從又持中者，猶云持正也。蓋史之所記，如其事而實書之，不參己見，亦無偏倚，故從又持中，為人記事之稱。因其記事不虛偽，遂名其記事之書為史。」《呂氏春秋・先識》稱史官為「守法之臣」，《韓詩外傳》云：「據法守職而不敢為非者，太史也。」（《太平御覽》二三五引，今本異）這都反映了史官職責的神聖。

　　據法守職、秉筆直書，這是史家的一個傳統，同時也是一種精神。據《左傳》記載，魯宣公二年，晉靈公因昏庸無道被人所殺。當時執政大臣趙盾正在逃亡途中，聽說靈公被殺，馬上返回。晉國太史董狐於是書曰：「趙盾弒其君。」並把這記錄公示於朝堂。趙盾感到冤屈。董狐說：「子為正卿，亡不越境，反不討賊，非子而誰！」趙盾無奈，只好接受這現實。魯襄公二十五年，齊國權臣崔杼殺死了齊莊公。齊國的太史於史冊上記了一筆：「崔杼弒其君。」崔杼一怒之下，殺了太史，毀了記錄。太史的弟弟繼承其兄，仍書作「崔杼弒其

君」。又被崔杼殺掉。這樣連續殺了史官兄弟三人之後史官的又一個弟弟繼續把「崔杼弒其君」書在史冊上。崔杼無奈，只好作罷。另一位史官南史氏聽說太史兄弟幾人連續被殺，於是拿著竹簡前來準備接力，聽說已經記下，方才返回。晉董狐是冒著生命危險捍衛歷史的真實，齊太史兄弟則為捍衛歷史的真實付出了生命的代價。這中間一體現著歷史的神聖不可玷污，二體現出了史家的精神。忠實歷史是史家的靈魂和品格，一旦失去忠實，其筆下的歷史便變得一文不值。因此史官的存在價值和意義就在於他們筆下的記載。正因為如此，他們才把歷史的真實看得比自己的生命還重要，故晉國太史蔡墨曾說：「一日失職，則死及之。」（《左傳‧昭公二十九年》）

春秋史官的這種精神，為後世史家繼承。司馬遷寫《史記》，把劉邦的對頭項羽列入《本紀》，還將劉邦當年貪好酒色、市井無賴的生活，活脫脫地展示出來。把漢武荒唐的求仙之舉，也如實書之於冊。這一行為不為常人所理解，故後漢王允稱《史記》為「謗書」，並以武帝不殺司馬遷為失策。但司馬遷的行為卻得到了史學家的高度讚揚。如班固父子儘管對司馬遷有看法，但不得不承認《史記》「其文直，其事核，不虛美，不隱善，故謂之實錄」（《漢書‧司馬遷傳》），章懷太子《後漢書‧蔡邕傳》注曰：「凡史官記事，善惡必書。謂遷所著《史記》，但是漢家不善之事，皆為謗也。非獨指武帝之身，即高祖善家令之言，武帝籌緡榷酤之類是也。」班固雖對於司馬遷博物洽聞而不能自免其身，略有微詞，但他在《漢書》中，仍然堅持了史學家實事求是的傳統精神，如對於武帝，曾借夏侯勝之口說：「武帝雖有攘四夷、廣土斥境之功，然多殺士眾，竭民財力，奢泰亡度，天下虛耗，百姓流離物故者半。蝗蟲大起，赤地數千里，或人民相食。畜積至今未復，亡德澤於民，不宜為立廟。」（《夏侯勝傳》）《三國志‧吳志‧韋曜傳》載，吳主孫皓即位，想為他的父親孫

和作「紀」，在古史中，只有皇帝才作「紀」，普通人只能立「傳」。史學家韋昭堅持：孫和沒有即帝位，應當立「傳」，不應作「紀」，否則破壞史家規矩。如此者非一，最終招致殺身之禍。他雖然被殺，但史家的精神與傳統卻得到了保留。唐封演《封氏聞見記》卷十記載了這樣一件事：「著作郎孔至，二十傳儒學，撰《百家類例》，品第海內族姓，以燕公張說為近代新門，不入百家之數。駙馬張垍，燕公之子也，盛承寵眷。見至所撰，謂弟埱曰：『多事漢！天下族姓，何關爾事，而妄為升降？』埱素與至善，以兄言告之。時工部侍郎韋述譜練士族，舉朝共推，每商榷姻親，成就諮訪。至書初成，以呈韋公。韋公以為可行也。及聞垍言，至懼，將追改之，以情告韋。韋曰：『孔至休矣！大丈夫奮筆，將為千載楷則。奈何以一言而自動搖？有死而已，胡不可也！』遂不復改。」不為權貴而改變原則，「大丈夫奮筆，將為千載楷則」，這可以說是史家的一種信念。

　　當然我們必須看到，政治強權很霸道，歷史上畢竟是聖主少而庸君多。如遇暴君要想堅持史家秉筆直書的原則，那是非常之難的。故劉知幾《史通·直書》篇云：

> 夫為於可為之時則從，為於不可為之時則凶。如董狐之書法不隱，趙盾之為法受屈，彼我無忤，行之不疑，然後能成其良直，擅名今古。至若齊史之書崔弒，馬遷之述漢非，韋昭仗正於吳朝，崔浩犯諱於魏國，或身膏斧鉞，取笑於當時；或書填坑窖，無聞後代。夫世事如此，而責史臣不能申其強項之風，勵其匪躬之節，蓋亦難矣！是以張儼發憤，私存《嘿記》之文；孫盛不平，竊撰遼東之本。以茲避禍，幸而獲全。是以驗世途之多隘，知實錄之難遇耳。然則歷考前史，徵諸直詞，雖古人糟粕，真偽相亂，而披沙揀金，有時獲寶。

　　但是為了堅持史家傳統與精神，不少史學家在各種壓力之下，既要保證歷史記載真實性的最少喪失，又要全身自保，為此而採取了多種手段，或曲筆達意，或示疑於後人，或轉載權貴劣跡於他人之傳。如《左傳》「鄭伯克段於鄢」，把段叔寫成一個貪得無厭之徒，似乎他是玩火自焚，咎由自取。《詩經·鄭風·大叔于田》篇，據《詩序》說是寫段叔田獵的，但詩中卻寫出了一位英雄少年的風姿，顯然是讚美的。《詩經》與《左傳》記載出現了矛盾。今仔細尋繹，似《左傳》記載可疑，可能是一樁冤假錯案。《左傳》云：「大叔完聚，繕甲兵，具乘卒，將襲鄭。夫人將啟之。公聞其期，曰：可矣！命子封帥車二百乘以伐京。」這裏連用了兩個「將」字，一個「聞」字。「將」者未然之辭，既然事沒有發生，何以知其襲鄭？既然是「襲」，當然是秘密行事，莊公為何能得「聞」？這個疑案被細心的清代散文批評家們發現。金聖歎《天下才子必讀書》於「具卒乘」下批曰：「詩有兩《叔于田》，則此篇自為田獵，未可知。」又於「夫人將啟之」後批曰：「此二『將』字，明明疑案，連坐姜氏。」又於「可矣」後批曰：「祭仲不聞，子封不聞，偏是公聞。」林雲銘《古文析義》則云：「毋論襲鄭不襲，有期無期，只消用兩個『將』字，一個『聞』字，便把夫人一齊拖入渾水中，無可解救，此公之志也。夫以段之驕蹇無狀，全無國體，紾臂之謀，不必深辯。乃夫人處深宮嚴密之地，且當莊公刻刻提防之際，安能與外邑訂期，開國門作內應耶？」並於「可矣」下批曰：「他人不聞而公獨聞，其為疑案可知。」不難看出，莊公因與段及母有爭位之際，特設機關，立假案，置母、弟於死地。在伐段之前，莊公就屢次與臣下謂段曰：「多行不義，必自斃，子姑待之」、「將自及」、「不義不昵，厚將崩」。顯然莊公是有預謀的。所謂段之「不義」，也是他有意製造的。「京叛大叔段」，便是陰謀的完成。鄭之史官，為避殺身之禍，故用這種巧妙的

方式，似是而非之詞，瞞過莊公，示疑於後人。而詩人則以自己的認識寫大叔段，所以寫得風姿颯爽，才力過人，並寫到了他對「公」之忠誠，如云：「襢裼暴虎，獻於公所。」

正是由於史家的傳統與道德精神，才使得中國歷史在強大政治力量的干擾下，最大限度地保持了真實性，使得暴君、昏君、庸君、佞相、權臣等醜惡形象被載入史冊。比如朱元璋，這是明朝的開國之君，在明朝皇帝心目中自然有至高無上的地位，對於他的那種暴戾行為，他的子孫不可能心甘情願留之於史冊。但是我們從《明史》及明朝人的記載中，卻看到了驚人的一幕。洪武九年（1376年）發生的「空印案」，有數以百計的官員被處死。洪武十三年（1380年）胡惟庸一案，有幾千人被處死。而黨獄株連前後長達十四年，一時功臣宿將誅夷殆盡，共有四萬餘人被卷了進去，或被殺或被罰。為朱元璋長期擔任文官工作的李善長，因侄兒娶了胡惟庸的姐姐，也受到了株連，遭人誣陷，被迫自殺，妻兒親屬七十餘口，慘遭殺害。洪武二十六年（1393年）發生的藍玉一案，被株連處死的也有一兩萬人。朱元璋的殘酷行為，造成了士大夫人人但求自保、不謀進取的恐懼心理。據明焦竑《玉堂叢話》，當時有位文士叫唐之淳，他在軍中作文書工作，「嘗草露布，帝讀其文嘉之」。正好此時朱元璋寫完了分封十王的冊文草稿，想讓他給潤色一下，於是飛騎召唐入京。唐不明就裡，嚇得渾身哆嗦。到了京城，過其姑家門，與其姑大哭一場，並要其姑好好收斂他的屍體。到了東華門，門已閉，又被人用布裹起來，從牆上遞了進去。這樣折騰了幾次，生望已消，到皇帝殿前，才知道是為了修改幾篇冊文。但無論如何，權力是不能掩蓋歷史的。官方的史官與民間的史學家，秉持史家不蔽美不隱惡的文化精神，總是會用各種方式來記載並保存歷史的。

傳統史官有一種宏大的志向。荀悅《前漢紀》卷一云：

　　昔在上聖，唯建皇極，經緯天地，觀象立法，乃作書契，以通宇宙，揚於王庭，厥用大焉。先王以光演大業，肆於時夏，亦唯翼翼，以監厥後，永世作典。夫立典有五志焉：一曰達道義，二曰彰法式，三曰通古今，四曰著功勳，五曰表賢能。於是天人之際，事物之宜，粲然顯著，罔不備矣。世濟其軌，不殞其業。損益盈虛，與時消息。雖臧否不同，其揆一也。

　　正因如此，中國史籍對於人類的健康發展才具有了不可或缺的意義。劉知幾曾用八個字概括史之意義，即「記事載言，勸善懲惡」（《史通‧史官建置》）。「記事載言」是史的功能，「勸善懲惡」是史的功用。人是有記憶的靈物，對於自己的、種族的過去，有一種曉知、把握的欲望。而曉知歷史，除了滿足精神的需求之外，就是從歷史中認識自己，把握並不斷調整人類未來的方向。因而勸善懲惡也就成為歷史記載留示後人的一個非常重要的功能，從歷史中汲取經驗與教訓，則是後人閱讀歷史的一個重要目的。《詩經‧大雅‧蕩》篇云：「殷鑒不遠，在夏后之世。」這是說夏的滅亡是殷的一面鏡子，殷本可以從中汲取教訓的。宋范祖禹《進〈唐鑒〉原表》云：「臣竊以自昔下之戒上，臣之戒君，必以古驗今，以前示後。禹益之於舜，則言其所無於佚於樂，傲虐之作，防於未然。周召之於成王，則相古先民，歷年墜命，日陳於前，皆所以進哲德而養聖功也。」司馬光編《資治通鑑》，從命名上就可以看出，他是把歷史作為一面為政的鏡子來對待的，故他在進表中說：「每患遷、固以來，文字繁多，自布衣之士，讀之不徧，況於人主日有萬幾，何暇周覽？臣常不自揆，欲衍文削冗長，舉撮機要，專取關國家興衰、繫生民休戚、善可為法、惡可為戒者，為編年一書，使先後有倫，精粗不雜。」元蘇天爵採宋以前善政嘉言成《治世龜鑑》一書，林興祖序稱其書「誠前知之龜，

不遠之鑒，有志於治者，宜無一之可遺」。像宋王欽若、楊億編《冊府元龜》，趙善璙編《自警編》，朱熹編《通鑑綱目》，元張光祖編《言行龜鑑》等，這些書無不是要以歷史為龜鑑，來確立人之行為規則的。「二十五史」，前朝之史，皆是來者之鑒。

史之所以有龜鑑的意義，很重要的一點，就是因為它是一個是非評價系統。英雄豪傑賴此垂芳千古，大奸大惡由此遺臭萬年。孔子作《春秋》之所以亂臣賊子懼，就是因為《春秋》會使人惡名昭著，遺羞子孫。也正是這個評價系統，對於權力擁有者起到了有效的警戒與制約作用，使他們始終感覺到史家椽筆的存在，時刻保持清醒而不敢膽大妄為。同時這個評估體系也激勵著無數志士仁人努力奮鬥，以「立德、立功、立言」為目標，以求不朽。在歷史的面前，任何人都會作出思考，都會考慮自己在其中的位置。一個有歷史意識的人，絕不會苟且自己的行為，而是認真地對待自己的人生，對待生與死。死是可怕的，可有的人在死的面前卻跳著、笑著，理智地選擇死亡。原因很簡單，是歷史喚起了他們捍衛自己名譽的自覺。屈原恐懼「修名之不立」，在出國求榮與守道自終二者之間，毫不猶豫地選擇了死亡；文天祥在死亡面前高唱「人生自古誰無死，留取丹心照汗青」，同樣想到的是自己在歷史中的聲譽。而對於一個喪失了歷史意識的人，一個漠視歷史存在的人，我們則很難想像他們怎樣對待歷史的。

當然我們不能否認，史官記述有為尊者諱的信念。虛美、隱惡也是正常的。但在大的事件的記述上，他們的價值判斷一般是不會因私而廢公論的。

第二節　史籍的傳統分類

　　在最早的目錄著作《七略》中，史籍是附於「六藝」中《春秋》之後的，還未能獨立門戶。到《隋書‧經籍志》，則特標「史部」，分為正史、古史、雜史、霸史、起居注、舊事、職官、儀注、刑法、雜傳、地理、譜系、簿錄等十三類。《隋書》「史部」的設立與分類，為後人認識史籍確立了基礎，後來的史志基本上是在這個基礎上損益的。《四庫全書總目》則在此基礎上釐定為十五類。儘管對於十五類的劃分，後人有種種不同的意見，但它基本上能概括史籍的內容，對後世影響也最大。下面分別闡述這十五類內容。

1　正史類

　　正史之名，見於《隋書‧經籍志》。這是唐人才有的概念。何以稱「正史」？正有「主要」的意思。在先秦，史書以編年體為主，如《春秋》《左傳》以及出自汲冢的《竹書紀年》《穆天子傳》等都是編年體的。丁山考證甲骨文，認為殷朝就應該有編年史出現。這說明編年體是最先興起的一種史書體裁。而司馬遷創立的紀傳體《史記》出現之後，後人紛紛效法。這種史體內設五體，即記載帝王行事的「本紀」、縱橫交錯的「表」、記載典章制度的「書」、記載諸侯的「世家」、記載將相人物的「列傳」，在全面記載歷史的功能上明顯優於編年體，並便於披閱，故成了史籍最主要的一種體裁。「二十五史」就是用這種體裁寫成的。章學誠《史考釋例》云：「編年之書，出於《春秋》，本正史也。乃班馬之學盛，而史志著錄，皆不以編年為正史。」晁公武《郡齋讀書志》說得很明確：「人皆以紀傳便於披閱，獨行於世，號為正史。」今《四庫全書總目》的《正史類》，也包括與正史相關的如《史記索隱》《新唐書糾謬》之類著作。

從歷代王朝看，秦、漢、三國、晉、宋、齊、梁、陳、隋、唐、五代、宋、元、明、清，也不過十五個朝代，秦以前有《史記》，漢代分《漢書》《後漢書》，為何會有「二十五史」呢？這主要有兩種情況，一種是政權分裂時代，有多個政權存在，如南北朝時，與南方宋、齊、梁、陳並存的，還有北方魏、齊、周幾個政權。宋時與宋並立的有遼、金。每一個政權都有一部史書，或稱作「史」，或稱作「書」，這就多出了五部。第二種情況是重複的史書。如關於南北朝時期的除各個政權的專史外，還有分寫南北的《南史》與《北史》，而《唐書》《五代史》則皆分有新舊兩種，如此，合起來則為「二十五史」。這「二十五史」可以說是二十五種歷朝英雄榜，中國歷史上的風雲人物，均羅列於上，也可以說是二十五宗獄訟案卷，帝王將相的是非功過，詳著其中。

2 編年史類

編年史是按年代編排的一種史籍體例，一年中發生的歷史大事，按時間先後排列，可以補充紀傳體史書的不足。先秦時史書以編年體為主，這種體例春秋時已成熟，《左傳》就是一部典型的編年史。自從《史記》《漢書》出現後，作者相對減少，歷朝或有或無，不能使時代相續。現在最著名的一部編年史就是司馬光的《資治通鑑》，其後如朱熹《通鑑綱目》、金履祥《資治通鑑前編》、陳桱《通鑑續編》、乾隆《御批通鑑輯覽》等，都是受其影響而撰。明袁黃所編的《綱鑑》與清吳乘權等編的《綱鑑易知錄》，是較為通俗的編年通史，在以前流傳甚廣。《四庫全書總目》中把與編年史有關的一些著作，如《通鑑地理通釋》之類，也列入了編年史中。

3 紀事本末類

　　紀事本末體史籍出現得比較晚，它是在編年體史籍的基礎上出現的。司馬光撰《資治通鑑》，雖說每年大事，一覽無餘。但往往一個重大的歷史事件透迤於數年之間，編年最大的缺陷就是割裂了事物的完整性，使一事而分編於數年之中。紀事本末體史籍則是為補救此弊而產生的，故以事件為中心，將割裂於編年之下的史料匯於一處。《四庫全書總目》云：「古之史策，編年而已。周以前無異軌也。司馬遷作《史記》，遂有紀傳一體，唐以前亦無異軌也。至宋袁樞以《通鑑》舊文，每事為篇，各排比其次第，而詳敘其始終，命曰紀事本末，史遂又有此一體。」《通鑑紀事本末》提要云：「自漢以來，不過紀傳、編年兩法，乘除互用。然紀傳之法，或一事而復見數篇，賓主莫辨；編年之法，或一事而隔越數卷，首尾難稽。（袁）樞乃自出新意，因司馬光《資治通鑑》，區別門目，以類排纂。每事各詳起訖，自為標題。每篇各編年月，自為首尾……經緯明晰，節目詳具。前後始末，一覽了然，遂使紀傳、編年貫通為一，實前古之所未有也。」其後繼之者，如南宋章沖《春秋左氏傳事類始末》、徐夢莘《三朝北盟會編》、明陳邦瞻《宋史紀事本末》《元史紀事本末》等，遂使其成為一種重要的史籍體裁。

4 別史類

　　別史是指居正史之外而與正史非常接近的一個歷史記述系統。宋陳振孫《直齋書錄解題》始立別史一目，收錄唐高峻《高氏小史》、宋呂祖謙《新唐書略》等。四庫館臣說：「陳振孫《書錄解題》創立別史一門，以處上不至正史、下不至於雜史者，義例獨善，今特從之。蓋編年不列於正史，故凡屬編年，皆得類附。《史記》《漢書》以

下，已列為正史矣。其歧出旁分者，《東觀漢記》《東都事略》《大金國志》《契丹國志》之類，則先資草創；《逸周書》《路史》之類，則互取證明；《古史》《續後漢書》之類，則檢校異同。其書皆足相輔，而其名則不可以並列。命曰別史，猶大宗之有別子云爾。」別史與正史區別比較容易，但與雜史往往難以區分。如黃虞稷《千頃堂書目‧別史類》注云：「非編年，非紀傳，雜記歷代或一代之事實者，曰別史。」這則與雜史無別了。張之洞《書目答問‧別史類》注云：「別史、雜史，頗難分析。今以官撰及原本正史重為整齊，關係一朝大政者入別史，私家紀錄中多碎事者入雜史。」這個觀點較為合理。

5 雜史類

　　「雜」言其駁雜不純。「雜史」初見於《隋書‧經籍志》，當時所錄確實很雜，連志怪之類如王嘉《拾遺記》《汲冢璅語》等也列於其中。四庫所錄則有較為嚴格的規定。館臣批評《隋志》云：「既係史名，事殊小說。著書有體，焉可無分？」於是另立標準云：「今仍用舊文，立此一類。凡所著錄，則務示別裁，大抵取其事係廟堂、語關軍國，或但具一事之始末，非一代之全編；或但述一時之見聞，只一家之私記。要期遺文舊事，足以存掌故，資考證，備讀史者之參稽云爾。若夫語神怪，供詼嘲，里巷璅言，稗官所述，則別有雜家、小說家存焉。」像《國語》《戰國策》《貞觀政要》等，即歸於此類。《書目答問》又將雜史分為事實之屬、掌故之屬、璅記之屬。

6 詔令奏議類

　　詔令是帝王、皇太后或皇后等向下所發的命令、文告，包括冊文、制、敕、詔、誥、策令、璽書、教、諭等。奏議是臣下上奏帝王的各類文字的統稱，包括表、奏、疏、議、上書、封事等。這兩類文

字，都屬於記言的，最初都分別歸於帝紀與列傳中，沒有獨立出來。《文獻通考》中雖列有奏議一類，但居於集後。《千頃堂書目》中制誥也列於集部。一般奏議，都收入個人文集中。將詔令奏議別立門戶，是《四庫全書總目》的創造，理由是：「夫渙號明堂，義無虛發，治亂得失，於是可稽。此政事之樞機，非僅文章類也。抑居詞賦，於理為褻。《尚書》誓、誥，經有明徵。今仍載史部，從古義也。」所列有《世宗憲皇帝朱批諭旨》《唐大詔令集》《兩漢詔令》《包孝肅奏議》（包拯）《王端毅公奏議》（王恕）等之類。

7 傳記類

傳記是記載人物事蹟的文字。《四庫全書總目》於《傳記類二》跋語云：「傳記者，總名也。類而別之，則敘一人之始末者為傳之屬，敘一事之始終者為記之屬。」《傳記類序》云：「紀事始者，稱傳記始黃帝，此道家野言也。究厥本源，則《晏子春秋》是即家傳，《孔子三朝記》其記之權輿乎！裴松之注《三國志》、劉孝標注《世說新語》，所引至繁。蓋魏、晉以來，作者彌夥，諸家著錄，體例相同，其參錯混淆，亦如一軌。今略為區別：一曰聖賢，如《孔孟年譜》之類；二曰名人，如《魏鄭公諫錄》之類；三曰總錄，如《列女傳》之類；四曰雜錄，如《驂鸞錄》之類。其杜大圭《碑傳琬琰集》、蘇天爵《名臣事略》諸書，雖無傳記之名，亦各核其實，依類編入。至安祿山、黃巢、劉豫諸書，既不能遽削其名，亦未可薰蕕同器，則從叛臣諸傳，附載史末之例，自為一類，謂之曰別錄。」從體裁上來說，正史就是傳記體的。這裏所錄其實就是未能歸入正史的傳記。

8 史鈔類

「史鈔」指謫抄一史或合抄眾史的書籍。有專抄一史的，像《漢

書鈔》《晉書鈔》之類；合抄眾史的，像《正史削繁》《新舊唐書合鈔》之類。它實際上就是史書的簡編本，是為一般讀者的方便而考慮的。《四庫全書總目‧史鈔類序》說：「帝魁以後書，凡三千二百四十篇，孔子刪取百篇。此史鈔之祖也。《宋志》始自立門，然《隋志‧雜史類》中有《史要》十卷，注『漢桂陽太守衛颯撰，約《史記》要言，以類相從』。又有《三史略》二十卷，吳太子太傅張溫撰。嗣後專鈔一史者，有葛洪《漢書鈔》三十卷、張緬《晉書鈔》三十卷。合鈔眾史者，有阮孝緒《正史削繁》九十四卷。則其來已古矣。沿及宋代，又增四例：《通鑑總類》之類，則離析而編纂之；《十七史詳節》之類，則簡汰而刊削之；《史漢精語》之類，則採摭文句而存之；《兩漢博聞》之類，則割裂詞藻而次之。迨乎明季，彌衍餘風，趨簡易，利剽竊，史學荒矣。要其含咀英華，衍文除冗贅，即韓愈所稱記事提要之義，不以末流蕪濫，責及本始也。博取約存，亦資循覽。」就其內容來講，史鈔並沒有什麼特色，不能成為一個獨立的門類。再則，古人不只是有史鈔類物，像讀諸子百家，都有為方便起見而抄撮的簡本，只是未能引起史家的注意而為之自立門戶而已。

9 載記類

　　「載記」是為地方割據時期曾立名號而非正統者所作的傳記。雖非正統，但畢竟是歷史存在，不可不記。阮孝緒作《七錄》，將此類稱作「偽史」，《隋志》改稱「霸史」。四庫館臣《載記類敘》認為：「曰『霸』曰『偽』，皆非其實也。」據《後漢書‧班固傳》，班固曾為西漢末武裝起義軍如平林、新市的特立《載記》。《東觀漢記》同樣也列有《載記》，將平林、下江諸起義軍載入其中。《晉書》記「五胡亂華」的十六國，亦云《載記》。四庫館臣據此，設立了「載記類」，認為「是實立乎中朝，以敘述列國之名」。較偽史、霸史之稱更為合

理。像《吳越春秋》《越絕書》《華陽國志》《十六國春秋》之類，即
列入此中。中國地大物博，在數千年的歷史上，出現過不少割據政權，
為之設立一門，與書寫中央政權更替的正史區分開來，也是可以的。

10 時令類

「時令」就是月令，是古時按季節制定有關農事的政令。《禮
記》中的《月令》一篇，《大戴禮記》中的《夏小正》，《詩經》中的
《七月》，都是反映古代時政月令的。宋以前有關時令的書籍，都歸
入了子部農家類。但這些記載的內容，上自國家典制，下至民間風
俗，不僅僅限於農事。因此宋《中興館閣書目》，另列了「時令」一
類。宋陳振孫《直齋書錄解題》也因之設立了《時令類》，所列著作
是《夏小正傳》《荊楚歲時記》《玉燭寶典》《秦中歲時記》等之類。
但這類書存下來的不多。清代修《四庫全書》，所收書只有兩部，一
是宋陳元靚的《歲時廣記》，一是康熙欽定的《月令輯要》。《存目》
中所列也只有十餘部。故而遭到後人的非議，以為這是為康熙欽定的
《月令輯要》特設的一類。如章太炎先生在《國學講演錄‧史學略
說》中就說：「清帝欽定之書，無可歸類，又不可不錄，故別立此門
也。」

11 地理類

地理類書在中國出現得很早，《尚書》中的《禹貢》，就是關於地
理的。先秦古籍《山海經》，後世認作是一部奇書，實是一部古老的
地理學圖書。《周禮》中有職方氏，他的職責是：「掌天下之圖，以掌
天下之地，辨其邦國、都鄙、四夷、八蠻、七閩、九貉、五戎、六狄
之人民，與其財用九谷、六畜之數要，週知其利害，乃辨九州之國，
使同貫利。」可知在周朝就已十分重視各地山川風物。《漢書》中有

《地理志》，開創了正史記述地理的體例。因為地理類圖書是中央王
朝瞭解四方物產風俗的依據，因而「隋大業中，普詔天下諸郡，條其
風俗物產地圖，上於尚書。故隋代有《諸郡物產土俗記》一百五十一
卷，《區宇圖志》一百二十九卷，《諸州圖經集》一百卷」。（《隋書‧
經籍志》）由此而開創了帝王下詔撰修方志的歷史。方志開始所載多
是方域、山川、風俗、物產而已，其後則發展到了記載地方古跡、歷
史沿革等方面的內容。即如四庫館臣所言：「《元和郡縣志》頗涉古
跡，蓋用《山海經》例。《太平寰宇記》增以人物，又偶及藝文，於
是為州縣志書之濫觴。元明以後，體例相沿。列傳侔乎家牒，藝文溢
於總集。末大於本，而輿圖反若附錄。其間假借誇飾，以侈風土者，
抑又甚焉。王士禎稱《漢中府志》載木牛流馬法，《武功縣志》載織
錦璇璣圖，此文士愛博之談，非古法也。然踵事增華，勢難遽返。」
《四庫全書總目》將地理類分為十個部分，即「首宮殿疏，尊宸居
也；次總志，大一統也；次都會郡縣，辨方域也；次河防，次邊防，
崇實用也；次山川，次古跡，次雜記，次遊記，備考核也；次外紀，
廣見聞也」。現在看來，這一部分圖書中保留的古史資料相當豐富，
是應該特別引起我們注意的。

12　職官類

　　「職官」即官職。這一類所收的是關於歷代官吏制度的書。這方
面最早的書是《周禮》，又叫《周官》，因屬「三禮」之一，被列在了
經部。此外傳下來的只有《唐六典》，「其書以三師、三公、三省、九
寺、五監、十二衛，列其職司官佐，敍其品秩，以擬《周禮》」（《四
庫全書總目》）。《隋書‧經籍志》職官類雖列有二十七部書，《新唐
書‧經籍志》也列有二十六部，但多不傳。而歷代關於官職制度的規
定，主要都保存在正史的《職官志》中。即如館臣所說：「蓋建官為

百度之綱，其名品職掌，史志必撮舉大凡，足備參考。故本書繁重，反為人所倦觀。且唯議政廟堂，乃稽舊典。其間如元豐變法，事不數逢。故著述之家，或通是學而無所用，習者少則傳者亦稀焉。」因此《書目答問》就把這一類歸併政書類。四庫中所錄「大抵唐宋以來一曹一司之舊事，與儆戒訓誥之詞」分為官制、官箴二子目，目的是「亦足以稽考掌故，激勸官方」。

13 政書類

政書類所收是與政治相關的歷朝典章制度的書。《七錄》（阮孝緒作）、《隋書・經籍志》及《唐志》《宋志》等稱作「舊事」，《直齋書錄解題》改易為「典故」，但收錄都比較雜。如「《隋志》載《漢武故事》，濫及稗官。《唐志》載《魏文貞故事》，橫牽家傳」。四庫館臣據錢溥《秘閣書目》有「政書」一類，故改稱為「政書」，並對所收內容做了規範。即如所云：「總核遺文，唯以國政朝章六官所職者，入於斯類，以符《周官》故府之遺。」其中細目，一為通制之屬，如《通典》《文獻通考》《明會典》等；二為儀制之屬，如《漢官舊儀》《大唐開元禮》《大金集禮》等；三為邦計之屬，如《救荒活民書》《荒政叢書》《捕蝗考》等；四為軍政之屬，如《歷代兵制》《馬政紀》等；五為法令之屬，如《唐律疏義》《大清律例》等；六為考工之屬，如《營造法式》《欽定武英殿聚珍版程序》等。

14 目錄類

「目錄」即圖書目錄。這一類所收是關於目錄學方面的著作。中國目錄學發展很早，劉向《別錄》、劉歆《七略》即這方面最早的著作。後漢鄭玄《三禮目錄》，則是關於專書的目錄。到宋代因印刷術的發展，藏書家及圖書收藏的增多，出現了王堯臣等《崇文總目》、

晁公武《郡齋讀書志》、尤袤《遂初堂書目》、陳振孫《直齋書錄解題》、王應麟《漢藝文志考證》等一批目錄專著。其後則日益增多。這類著作對於文獻學研究非常重要。《四庫全書總目》分為細目，一為經籍之屬，如《千頃堂書目》《經義考》等；二為金石之屬，如《金石錄》《隸釋》等。《書目答問》去了目錄類，而將此類著作歸到了「譜錄類」中。《四庫總目》則把「譜錄」歸於子部。

15　史評類

「史評」即對於歷史的評論，這裏可分為兩種情況。一種是評論歷史人物與事件的，這類情況出現得很早，像《左傳》，於一事之後，每以「君子曰」來表達對事物是非的認識，這可說是最早的史評。《史記》每傳之後也有「太史公曰」，以定是非。此後史家每敘一人一傳，後便要加論、贊，以正面表達自己的觀點，作歷史的評斷。後世史家也多有此類專著，如李燾《六朝通鑑博議》、呂中《宋大事記講義》、錢時《兩漢筆記》、無名氏《歷代名賢確論》等。一種是對於史籍及史臣評斷的評論，如班固評司馬先黃老、後六經、退處士、進奸雄之類。其後專著則有劉知幾《史通》、倪思《班馬異同》、李心傳《舊聞證誤》、王應麟《通鑑答問》、朱明鎬《史糾》、章學誠《文史通義》等。對於歷史人物與事件的評論，是歷史的評價、監督與導引；對史籍的評論，則是對史學家的監督與評價，也可以說是對監督者的監督。這樣可以有效地保證歷史記載的真實性。

總之，這十五類是中國全部典籍中最實在的一部分，它從不同的角度展示了中國人的傳統生活及生存狀態。

思考題

1. 史官體制在中國政治制度中起著怎樣的作用？
2. 史官對中國歷史發展有何意義？
3. 中國歷史記載的真實性是靠什麼保證的？
4. 中國史官據法守職的精神有哪些體現？
5. 《四庫全書》中的史籍是如何分類的？

參考書目

〔清〕永瑢等：《四庫全書總目提要》，石家莊，河北人民出版社，
　　　2000。
〔清〕永瑢等：《四庫全書簡明目錄》，上海，古典文學出版社，
　　　1957。
〔清〕浦起龍：《史通通釋》，上海，上海古籍出版社，1978。
張舜徽：《四庫提要敘講疏》，昆明，雲南人民出版社，2005。

中華文化思想叢書 A0100043

國學概論（第2版） 上冊

作　　　者	劉毓慶
責任編輯	楊家瑜
發 行 人	陳滿銘
總 經 理	梁錦興
總 編 輯	陳滿銘
副總編輯	張晏瑞
編 輯 所	萬卷樓圖書股份有限公司
排　　　版	林曉敏
印　　　刷	維中科技有限公司
封面設計	菩薩蠻數位文化有限公司

出　　　版　昌明文化有限公司

桃園市龜山區中原街 32 號

電話 (02)23216565

發　　　行　萬卷樓圖書股份有限公司

臺北市羅斯福路二段 41 號 6 樓之 3

電話 (02)23216565

傳真 (02)23218698

電郵 SERVICE@WANJUAN.COM.TW

大陸經銷

廈門外圖臺灣書店有限公司

　電郵 JKB188@188.COM

ISBN 978-986-496-103-0

2019 年 1 月初版二刷

2018 年 1 月初版

定價：新臺幣 240 元

如何購買本書：

1. 劃撥購書，請透過以下郵政劃撥帳號：

　帳號：15624015

　戶名：萬卷樓圖書股份有限公司

2. 轉帳購書，請透過以下帳戶

　合作金庫銀行　古亭分行

　戶名：萬卷樓圖書股份有限公司

　帳號：0877717092596

3. 網路購書，請透過萬卷樓網站

　網址 WWW.WANJUAN.COM.TW

大量購書，請直接聯繫我們，將有專人為您

服務。客服：(02)23216565 分機 610

如有缺頁、破損或裝訂錯誤，請寄回更換

版權所有·翻印必究

Copyright©2016 by WanJuanLou Books CO.,

Ltd.All Right Reserved　**Printed in Taiwan**

國家圖書館出版品預行編目資料

國學概論 / 劉毓慶著. -- 初版. -- 桃園市：

昌明文化出版；臺北市：萬卷樓發行，

2018.01

　冊；　公分

ISBN 978-986-496-103-0(上冊：平裝). --

1.漢學

030　　　　　　　　　　　　107001271

本著作物經廈門墨客知識產權代理有限公司代理，由北京師範大學出版社（集團）有

限公司授權萬卷樓圖書股份有限公司出版、發行中文繁體字版版權。